UM MINUTO PARA MIM

Obras do autor publicadas pela Editora Record

Como sair do labirinto
O gerente-minuto com Kenneth Blanchard
Liderança e o gerente-minuto com Kenneth Blanchard
O vendedor-minuto com Larry Wilson
O professor-minuto com Constance Johnson
A mãe-minuto
O pai-minuto
Um minuto para mim
O presente precioso
O presente
Quem mexeu no meu queijo?
Quem mexeu no meu queijo? Para crianças
Quem mexeu no meu queijo? Para jovens
Sim ou não
O vendedor-minuto

Spencer Johnson, M. D.

UM MINUTO PARA MIM

Tradução de
RUY JUNGMANN

37ª edição

EDITORA RECORD
RIO DE JANEIRO • SÃO PAULO
2022

CIP-Brasil. Catalogação na fonte
Sindicato Nacional dos Editores de Livros, RJ.

J65m 37ª ed.	Johnson, Spencer Um minuto para mim / Spencer Johnson: tradução de Ruy Jungmann. – 37ª ed. – Rio de Janeiro: Record, 2022.
	Tradução de: One minute for myself ISBN 978-85-01-02892-1
	1. Felicidade. 2. Auto-realização. 3. Sucesso. I. Título.
93-1206	CDD – 158.1 CDU – 17.023.34

Título original norte-americano
ONE MINUTE FOR MYSELF

Copyright © 1987 by Spencer Johnson, M.D.
Publicado mediante acordo com a Margaret McBride Literary Agency,
Inc., La Jolla, California 92038, U.S.A.

*Dedicado a
meu melhor amigo.*

Direitos exclusivos de publicação em língua portuguesa no Brasil
adquiridos pela
EDITORA RECORD LTDA.
Rua Argentina, 171 – Rio de Janeiro, RJ – 20921-380 – Tel.: (21)2585-2000
que se reserva a propriedade literária desta tradução

Impresso no Brasil

ISBN 978-85-01-02892-1

Seja um leitor preferencial Record.
Cadastre-se no site www.record.com.br
e receba informações sobre nossos
lançamentos e nossas promoções.

EDITORA AFILIADA

Atendimento e venda direta ao leitor:
sac@record.com.br

O Símbolo

O símbolo do Um Minuto — a indicação de um minuto no mostrador de um moderno relógio digital — destina-se a lembrar a todos nós a reservar um minuto a fim de parar, pensar e verificar como podemos cuidar de nós mesmos — tão bem e com tanta freqüência — como cuidamos dos demais.

Sumário

A Busca   11
Um Minuto para Mim   14

Parte I   CUIDANDO DE MIM   35

   Cuidando de Mim   37
   Por Que o Cuidar de Mim Funciona   49
   Cuidando de Mim: Resumo   59

Parte II   CUIDANDO DO VOCÊ   61

   Mais do Que Eu   63
   Cuidando do Você   67
   Por Que o Cuidar do Você Funciona   74
   Cuidando do Você: Resumo   80

Parte III   CUIDANDO DO NÓS   83

   O Relacionamento de Que Cada Um de Nós Necessita   85
   Cuidando do Nós   87
   Por Que o Cuidar do Nós Funciona   97
   Cuidando do Nós: Resumo   108

Parte IV   O MUNDO SE BENEFICIA   109

   O Globo: A Paz Começa Comigo   111
   A Dádiva   116
   Agradecimentos   121

UM MINUTO PARA MIM

ERA UMA vez um homem que procurava equilíbrio na vida.

Ele queria ser feliz — no trabalho e no lar. E queria também que as outras pessoas fossem felizes e produtivas.

Sentia-se frustrado porque tentara tudo para ser feliz e fazer com que os demais também se sentissem felizes. Contudo, independente do que fazia, aparentemente jamais fazia o suficiente.

Quando estava sozinho, não tinha a paz de espírito que desejava.

Faltava também algo importante em seus relacionamentos pessoais e profissionais.

Na melhor das hipóteses, decepcionava a si mesmo e aos demais. Na pior, causava sofrimento às pessoas, embora geralmente não se apercebesse.

Tornou-se cético.

Perguntou-se se algum dia descobriria o segredo do equilíbrio.

Sabia porém o suficiente a respeito de felicidade para compreender que, se um dia a encontrasse, ele por fim a acharia *dentro de si mesmo*.

Mas alimentava dúvidas sobre como isso afetaria os demais.

Entrementes, procurava alguém que já tivesse encontrado a solução e que talvez concordasse em compartilhar do segredo.

Após conversar com inúmeras pessoas, percebeu que a maioria pensava como ele. Conhecera apenas pouquíssimos indivíduos que pareciam felizes. Mas eles não queriam ou não sabiam como lhe ensinar o segredo.

Sabia no entanto que, para seu próprio bem e das pessoas com quem trabalhava e convivia, precisava encontrar logo a resposta.

Desejava conhecer alguém que a conhecesse, vivesse e pudesse explicá-la de modo claro.

Talvez, pensou, esse segredo seja pessoal demais para ser compartilhado com um estranho. Se eu apenas conhecesse alguém... De repente, lembrou-se de alguém que conhecia muito bem e que se tornara muito bem-sucedido no trabalho e ainda mais feliz na vida.

O "tio", como todos na família o chamavam, parecia gozar de tudo, da boa saúde à grande riqueza, embora ele soubesse que as coisas nem sempre haviam sido assim. O tio desfrutava também de uma feliz vida familiar e social.

Mostrava-se sempre feliz, e o mesmo parecia ocorrer com as pessoas que gravitavam ao seu redor. Lembrouse de como ele se sentia feliz na companhia do tio.

O tio parecia saber como ser feliz e como tornar os outros felizes.

Perguntou-se por que não se aprofundara antes nesse assunto com o tio. Nas reuniões familiares, suas conversas com ele haviam sempre girado em torno de assuntos banais.

Telefonou-lhe e disse que gostaria de conversar com ele. Combinaram um encontro para o dia seguinte.

Notou o sorriso amigo tão logo entrou na casa do idoso tio. Assim que se pôs à vontade, perguntou:
— Você é feliz, tio?
— Muito feliz — respondeu ele. — Mas devo confessar que isto só passou a ser verdade nestes últimos anos. Houve épocas em que me sentia inteiramente desequilibrado.
— Se não for uma questão pessoal demais, tio, posso lhe perguntar como se tornou feliz?
— É muito simples — retrucou o tio. — Na verdade, quando as coisas se complicam e fico confuso, esclareço tudo lembrando-me do seguinte: se algo é complicado, provavelmente faz parte do problema. Se é simples, talvez seja uma solução. — O tio sorriu ligeiramente e continuou: — A maioria de meus problemas me parecia complicada na ocasião. Mas as soluções, logo que as encontrava, eram em geral muito simples — confessou. — Para ser franco, às vezes fico embaraçado ao notar como é óbvia a solução prática, quando por fim a descubro. A simples verdade — prosseguiu — é que me tornei mais feliz desde que comecei a cuidar bem de mim *e* dos demais.

O sobrinho não esperara por essa resposta. Perguntou:
— O que o torna mais feliz: cuidar de si mesmo ou cuidar dos demais?

— Esses aspectos são interligados — observou o idoso cavalheiro — e, na verdade, não podem ser separados. Sou mais feliz quando ponho em equilíbrio duas verdades importantes: às vezes, é melhor pôr os demais em primeiro lugar; em outras ocasiões, ajuda quando me preocupo mais comigo mesmo. A boa notícia é que a maneira como cuido bem de mim mesmo é em geral muito boa para as outras pessoas. — E frisou: — Pensar nos outros *é* uma das maneiras de cuidar de mim mesmo, pois isso me torna equilibrado e tranqüilo. Minha vida não ia bem porque eu me esforçava demais para agradar os outros e esquecia de agradar a mim mesmo. Atualmente, reservo tempo igual às duas coisas. A ironia é que, desde que comecei a cuidar melhor de mim, as pessoas me dizem que se sentem melhor em minha companhia. Gosto mais de mim mesmo. Gosto mais das outras pessoas. Elas apreciam mais minha companhia. E elas se apreciam mais.

Cético, o sobrinho observou:

— Isso me parece simples demais e bom demais para ser verdade. Talvez eu esteja ainda no meio da tentativa de resolver meus problemas, mas minha vida me parece muito mais complicada do que isso.

O tio respondeu:

— Não o censuro por duvidar. Mas a verdade é que o segredo é tão simples, prático e poderoso que, quando aplicado, todo mundo ganha!

Como se quisesse deixar o segredo bem claro, o tio escreveu tranqüilamente algumas palavras numa folha de papel. Entregou-a ao sobrinho, que leu:

*

*Antes de Poder Cuidar Bem
de Alguma Coisa ou de Alguém,
Tenho, em Primeiro Lugar, de
Cuidar Bem de Mim Mesmo.*

*

— O meu "eu" — disse o tio — é quem eu sou. O seu "eu" — inclinou a cabeça na direção do sobrinho — é quem *você* é. Todos nós somos únicos e especiais, como aliás todos os seres humanos. E é desse "eu" que precisamos cuidar.

— Por que isso é tão importante? — perguntou o sobrinho.

— Porque quando cuidamos de nosso "eu", somos mais saudáveis e felizes. E tornamo-nos mais capazes de ajudar os demais. — Desenvolvendo essa linha de raciocínio, o tio continuou: — Há alguns anos, comecei a compreender melhor o que é a felicidade quando examinei o seu oposto. Como se sentem as pessoas que são tão felizes que se tornam profundamente deprimidas?

— Elas simplesmente não se importam... nem consigo mesmas, nem com os demais, nem com o ambiente em que vivem — respondeu o sobrinho.

— É exatamente assim que elas se sentem — concordou o tio. — Elas não se importam. E como é que você acha que se sentem as pessoas quando vivem entre outras que simplesmente não se importam com elas?

O sobrinho sorriu e disse:

— É deprimente.

— Assim — observou o tio —, pessoas que não se importam ou cuidam de si mesmas evidentemente não são boas para as demais. Caso se cuidassem melhor, isso também não seria melhor para os outros? — Enquanto o sobrinho pensava nessas palavras, o tio perguntou: — Qual é o primeiro sinal de que um paciente deprimido está se recuperando?

— Ele começa a se cuidar melhor. Penteia os cabelos, por exemplo.

O tio concordou com um aceno de cabeça.

— Isso mesmo. Pessoas sadias cuidam de si mesmas. Pessoas enfermas, não. Assim, o que é que você pensa que fiz? — perguntou e ele mesmo respondeu: — Comecei a me considerar um *jardineiro*. Você pode fazer a mesma coisa, se quiser. Imagine, por exemplo, que você é o respeitado jardineiro, o encarregado de um belo jardim numa magnífica propriedade. Pessoas de todo o mundo vêm visitar seu jardim e admirá-lo e a seu trabalho. Mentalmente, você vê os belos resultados de sua obra. Sente o aroma das flores.

O tio parou por um momento, a fim de deixar que a cena se gravasse bem na mente do sobrinho.

— O que você acha de ser um jardineiro desse tipo?

O sobrinho pensou um pouco e respondeu:

— É bom. *Eu* me sinto bem.

— Eu me sinto bem — disse o tio — quando contemplo três grandes áreas de meu jardim: o "eu", o "você" e o "nós".

O sobrinho ficou em dúvida:

— O senhor se vê cuidando de si mesmo, cuidando do próximo e cuidando de todos nós. É isso o que quer dizer?

— Exatamente — confirmou o tio. — O "eu" é o "eu" em mim. Você — inclinou a cabeça para o sobrinho — é o "eu" em você. Você sente as mesmas necessidades básicas que eu e, assim, reconheço-as no seu "eu" quando penso em você.

Tocando um globo terrestre que decorava um canto de seu gabinete, o tio prosseguiu:

— E o "nós" é o relacionamento que você e eu mantemos... seja o "você" um membro de minha família, um colega de trabalho ou um estranho no outro lado deste globo.

Uma atmosfera de paz e energia parecia envolver o tio. O sobrinho, no entanto, queria saber mais:

— Poderia me dizer alguma coisa sobre a primeira parte de sua filosofia "Cuidando de Mim"?

— Vamos até o jardim — sugeriu o tio — tomar um pouco de sol.

O sobrinho olhou em volta do jardim do tio. Ouviu o som de água corrente e admirou as belas flores. Sentiu a paz e a tranqüilidade que ali reinavam. Estava começando a perceber o quanto ser um jardineiro poderia estimular seu próprio crescimento.

— Olhando para este jardim — disse o tio pensativo —, é difícil lembrar o tempo em que eu era tão infeliz.

— Qual era o problema? — quis saber o sobrinho.

— Eu simplesmente não estava cuidando de mim mesmo. No começo, eu sequer sabia o que havia de errado. Nem desfrutava o sucesso que estava obtendo na vida ou a companhia de minha família ou amigos. Examinando o assunto, percebi que cuidava melhor do meu negócio do que de minha família, e melhor dela do que de mim mesmo. Deixara que a minha vida se desequilibrasse.

— E o que foi que fez? — perguntou o sobrinho.

— Embora possa parecer simples, várias vezes, todos os dias, comecei a dar uma parada e a reservar Um Minuto para Mim.

— Um minuto não é muito tempo — observou o sobrinho.

— É mais do que suficiente para tornar-se feliz — replicou o idoso cavalheiro. — Olhe para o seu relógio. Agora, sente-se aí, em silêncio. Não volte a olhar para o relógio até achar que passou um minuto, nem um segundo a mais nem a menos.

O tio esperou, enquanto o sobrinho silenciosamente tentava realizar a experiência. Sabia o que ia acontecer.

Depois do que pareceu um minuto, o sobrinho olhou para o relógio. Ficou surpreso.

— Só se passaram 38 segundos — disse. — Um minuto demora mais do que eu pensava.

O tio sorriu. Aquilo acontecia sempre.

— Quando estamos tranqüilos, um minuto é muito tempo.

— Mas por que Um Minuto? — perguntou o sobrinho.

O tio explicou:

— Porque nesse tranqüilo minuto comigo mesmo eu posso, em primeiro lugar, *tornar-me consciente* do que estou fazendo e, em seguida, *resolver* procurar uma maneira melhor. Além das outras coisas que faço para cuidar bem de Mim, do Você, e do Nós, invisto em mim mesmo e nos outros aquele minuto *extra* que faz uma diferença tão grande.

— Como é que o senhor faz isso? — indagou o sobrinho.

— Simplesmente paro e me pergunto com serenidade: *Há neste exato momento uma maneira melhor de eu cuidar de mim mesmo?* Por mais espantoso que pareça, a coisa funciona. Quando paro por um minuto e procuro calmamente, muitas vezes descubro uma maneira melhor. E, com a freqüência que for possível, ponho-a em prática.

— Mas de que modo cuida do Você em um único minuto? — quis saber o sobrinho.

— Estimulo o Você... o "Eu" em você... a compreender que você e eu somos iguais. Você também precisa cuidar bem de si mesmo. Convido-o a parar por um minuto e, mansamente, fazer a si próprio a mesma serena pergunta: *Há neste exato momento uma maneira melhor de eu cuidar de mim mesmo?* Isto porque você, que tem dentro de si a sua resposta, merece também ser estimulado.

— E de que modo cuida do Nós?

— Eu me estimulo, e a você, a parar e a nos perguntar tranqüilamente: *Estou pedindo a outra pessoa ou ao nosso relacionamento que faça o impossível... cuidar bem de mim... ou estamos, cada um, cuidando melhor de nós mesmos e, assim, desfrutando de um relacionamento ainda melhor juntos?*

O tio percebeu a dúvida do sobrinho quando ele perguntou:

— Como é que uma coisa tão simples pode ser tão eficaz?

— Porque — explicou o tio — esse minuto simples e rápido que passo lembrando-me e pensando em meu comportamento, ou analisando pensamentos, resulta em algo muito poderoso. Entro em mim mesmo a fim de escutar a minha própria sabedoria. Reservar Um Minuto algumas vezes por dia, a fim de parar e examinar o que estou fazendo, é como guiar de um lado a outro da cidade, parando em todos os sinais de tráfego. Os sinais me ajudam a chegar com segurança ao lugar onde quero ir.

O sobrinho compreendeu e comentou:

— Assim, simplesmente parar e olhar evita que o senhor se choque com alguma coisa e se machuque.

— Exatamente — confirmou o tio. — Paro, olho e vejo que tenho uma opção: seguir em frente, mudar de direção ou fazer o que quer que seja melhor para mim. E — acrescentou — é menos provável que eu colida e machuque *outras* pessoas que estão no mesmo cruzamento. Isso me ajuda a cuidar de mim mesmo *e* dos demais. Reservar Um Minuto para Mim, quando me lembro de fazê-lo, tem sido de um valor inestimável. Quase sempre, encontro a resposta dentro de mim mesmo. A verdade é que todos descobriremos o que é melhor, se apenas pararmos pelo tempo suficiente para ver.

O sobrinho começou a achar que o tio talvez soubesse de algo que valeria a pena guardar. Tirou papel e caneta do bolso e perguntou:

— O senhor se importa se eu tomar algumas notas?

Rapidamente, anotou os pontos principais do que ouvira até então.

O tio começou a explicar em detalhes:

— Vamos começar bem do princípio, com o Cuidando de Mim Mesmo. Em seguida, seremos promovidos, pois é assim que considero, para níveis mais altos, o Cuidando do Você e o Cuidando do Nós. Você vai descobrir que um se apóia no outro e que, com isso, conseguimos equilíbrio.

— O que é que o senhor faz? — perguntou o sobrinho.

— O *que* eu faço é a parte fácil — explicou o tio. — Uma vez tomada a decisão de fazer alguma coisa todos os dias para Cuidar de Mim, descubro que há grande variedade de maneiras de assim agir. Simplesmente tento me lembrar de fazer alguma coisa por mim com tanta freqüência e tão bem quanto faço pelos demais. O que quer que eu faça por mim mesmo, porém, me dá a certeza de que estou bem cuidado. E é isso que me faz feliz. Mas — advertiu — o que *você* fizer para cuidar de si mesmo provavelmente será diferente do que eu faço. Na verdade, parte da alegria de cuidar melhor de si mesmo, sobrinho, será a descoberta do que só funciona para você. O que faço para cuidar de mim mesmo talvez varie de uma semana a outra. Mas, de modo geral, começa da mesma maneira. Em primeiro lugar, reservo esse minuto extra para mim mesmo durante o dia, paro e pergunto: "Há, neste exato momento, uma maneira melhor de eu cuidar de mim mesmo?" Uma vez feito isso, o que faço em seguida para cuidar de mim depende do que estou fazendo ou pensando quando me faço a pergunta. Em geral, a pergunta leva a uma mudança em meu comportamento ou em meus pensamentos.

— Poderia me dar alguns exemplos específicos, tio, da maneira como cuida de si mesmo?

— Claro — concordou o tio. — Lembro-me do tempo em que eu acreditava não dispor de tempo suficiente para mim mesmo durante o dia. Ressentido com a situação, reservei um minuto de folga. Pensei tranqüilamente no assunto durante algum tempo e, em vez de continuar ressentido, resolvi acordar uma hora mais cedo e torná-la a "minha" hora, para fazer nela o que às vezes gostaria de fazer durante o dia. Lembro-me da primeira manhã em que tentei esse sistema. Estava cansado e realmente não queria me levantar. Recordo-me de que, sonolento, me perguntei: "Não há uma maneira melhor de fazer isso?" Resolvi levantar-me apenas quinze minutos mais cedo, porém fazendo-o mais cedo a cada semana, durante quatro semanas. Dentro de um mês, eu tinha uma hora extra só para mim.

— O que foi que fez com essa hora? — perguntou o sobrinho.

— Você não está percebendo o ponto principal — respondeu o tio. — Não importava, enquanto eu achasse que estava cuidando de mim mesmo. Isso sim, é importante.

O tio enfatizou essas palavras repetindo o argumento:

— Não importa o que eu faça. As pequenas coisas é que fazem a grande diferença... coisas que talvez ninguém mais notaria. Uma coisa que faço quando me sinto esmagado, arrasado ou perco a perspectiva é me perguntar simplesmente o seguinte: "Dentro de dez anos, a partir de agora, que grande diferença isto fará?"

O sobrinho inclinou a cabeça, concordando:

— Aposto que faz menos coisas sem importância agora e que provavelmente é um homem mais tranqüilo.

— Exatamente — confirmou o tio. — Outra coisa que faço por mim mesmo — acrescentou — é rir. Quanto mais rio, mais sadio e feliz me sinto. Lembro-me de ter ouvido um programa humorístico muito bom no rádio. Ri tanto e me senti tão bem que comprei algumas gravações em fita do programa para tocar no carro. Agora, guio pelas ruas rindo.

— Lembro-me do tempo em que o senhor era sério demais — disso o sobrinho. — O senhor agora ri muito mais. O que foi que aconteceu?

— Por sorte — respondeu o tio — eu tinha um amigo com grande senso de humor. Observei-o bem e vi como o humor tornava sua vida melhor. Ele trabalhava sob grande pressão, exatamente como eu, mas ele aparentemente não se deixava afetar por isso. Assim, comecei a adotar a sua filosofia risonha. Lembro-me de que uma vez, quando eu estava na fossa, esse amigo me perguntou como eu me sentia. Respondi que tinha vontade de me esconder em algum lugar. "Não há problema", disse ele. Perguntou-me se eu tinha um *closet* em casa. Respondi: "Claro que tenho." Ele disse: "Então é o lugar perfeito." "Para quê?", perguntei. Ele respondeu: "Para se esconder. Pegue uma cadeira, entre no *closet*, feche a porta e sente-se." — O tio riu com a lembrança e disse:
— Logo depois, percebi como era risível o meu pequeno drama. E não precisei mais me preocupar com ele.

— Assim, ao que parece, rir de si mesmo é uma boa maneira de se cuidar — observou o sobrinho.

— E é mesmo — confirmou o tio. — Melhor ainda, rio *com* as coisas que faço. Divirto-me com as minhas loucuras, minhas imperfeições, minha condição de ser humano. E o faço com um pequeno macete.

— Qual? — perguntou o sobrinho.

— Quando me levo a sério demais — explicou o tio — imagino agora um Deus divertido lá nas nuvens, observando o que faço; isto porque os seres humanos o distraem e porque ele realmente gosta de mim. De repente,

Deus explode numa gargalhada. Grita para um de seus velhos camaradas: "Venha até aqui. Você precisa ver o que o tio está fazendo! É de matar de rir!"

O sobrinho riu também.

— Vou me lembrar disso.

O tio continuou:

— Rir de mim mesmo e fazer pequenas coisas por mim realmente me ajudam a me sentir bem. — O tio olhou para o sobrinho e continuou: — Você pediu exemplos do que faço. Às vezes, dispenso o almoço e mudo a rotina. Saio para um passeio. Ou vou às lojas comprar alguma bobagem para mim... uma coisa qualquer que me faça sentir que estou cuidando de mim mesmo. Posso pegar o carro e ir admirar uma bela paisagem. Ou vou a um concerto. Às vezes, marco um encontro comigo mesmo durante a metade do dia, a fim de fazer algo estritamente para mim. Lembro-me de que uma vez fui até visitar um museu de arte às onze da manhã. Depois, voltei ao escritório e trabalhei durante minha hora normal de almoço. Costumo também fazer expedições locais. Vou a lugares onde nunca estive, apenas para descobrir o que vou sentir quando chegar lá. Talvez seja uma parte da cidade à qual habitualmente não vou, ou uma loja em que nunca estive. A mudança faz com que me sinta mais aventureiro e mais vivo. Essas coisas são banais. Mas há algo mais importante.

O tio passou ao sobrinho uma placa que conservava na escrivaninha de seu gabinete e que dizia:

✳

*Eu Me Trato
da Maneira Como
Gostaria que os Demais
Me Tratassem*

✳

— O que quer dizer com isso?

— Quando acho que as pessoas não me tratam bem — respondeu o tio —, examino-me para ver como eu mesmo me trato. Minha vida está indo bem porque cuido de mim nessas áreas importantes. Mas às vezes começo a achar que não estou recebendo um tratamento legal. Em geral, em relação a alguma ninharia. Mas ainda não gosto muito quando penso que não estou sendo tratado bem.

— Sei como o senhor se sente — simpatizou o sobrinho.

— Mas assim que paro e descubro que estou me sentindo vítima — disse o tio —, descubro logo quem é o meu perseguidor.

— O senhor mesmo? — arriscou o sobrinho.

— Eu mesmo — confirmou o tio. — Logo me lembro de que posso ser meu melhor amigo ou meu pior inimigo. Tudo dependerá do que eu resolver pensar e decidir fazer.

— Qual seria um exemplo do que o senhor poderia fazer?

— Detesto quando outras pessoas acham que não correspondo ao que esperam de mim. De modo que evito me propor padrões rígidos e me comparar com o que eu ache que deva ser. Quando me desaponto comigo mesmo, em geral é porque não consegui o que exijo de mim. Aprendi a esperar que não se concretizem as minhas fantasias de Natais perfeitos, com ceia, presentes e família e amigos sinceramente gratos a mim. Agora interpreto o Natal como um dia em que devo dar *graças* pelo que *de fato* já tenho.

— De modo que — especulou o sobrinho — o desapontamento... a infelicidade... é a diferença entre a fantasia e a realidade.

— Exatamente — confirmou o tio. — Agora apenas aprecio o que acontece, em vez de compará-lo com o que acho que devia ter acontecido. Aprendi que meu sofrimento pessoal se origina da diferença entre o que está acontecendo e o que acho que devia estar acontecendo.

— De modo que, se eu ignorar o que penso que falta da fantasia, e apreciar o que já é bom na realidade, serei mais feliz — conjeturou o sobrinho.

— Funciona no meu caso — garantiu o tio e continuou: — Cuido de mim quando analiso o que *quero* em comparação com o que *necessito*.

— Qual é a diferença?

— A necessidade é algo de que precisamos para nosso bem-estar. Aquilo que se quer é algo que esperamos que nos faça felizes... mas com freqüência isso não acontece. Eu *quero* uma barra de chocolate. Mas *necessito* de oxigênio. É algo parecido com sucesso na vida e felicidade. Muitas pessoas bem-sucedidas, mas infelizes, descobriram que aquilo por que lutaram e que conseguiram não as fez feliz. Eu me sinto bem-sucedido quando consigo o que quero — disse o tio, frisando a diferença —, mas me sinto feliz quando quero o que consigo. Outra vez, percebo as coisas mais claramente quando paro e examino o que estou tentando obter.

Interrompeu-se a fim de preparar o sobrinho para a importância do que ia dizer:

— Nunca, mas nunca, podemos obter o suficiente

daquilo de que não necessitamos. É como querer dinheiro, ganhá-lo, descobrir que não nos fez feliz e, ainda assim, querer mais, na esperança de que *isso* nos faça felizes.

— Nesse caso, como é que sabe do que necessita, tio?

— Reservando tempo para analisar o que realmente *me* faz feliz. Em alguns dias, sinto vontade de escrever coisas e analisá-las. Em outros, saio para um passeio e, em silêncio, escuto a mim mesmo. Quando paro por um minuto e me pergunto, "Preciso realmente do que estou querendo conseguir?", quase sempre deixo de querer obtê-lo.

— Eu me lembro do tempo em que estava aprendendo a voar em planador — disse o sobrinho. — Certa ocasião, vi um rapaz tentando voar enquanto o instrutor berrava do chão: "Cuidado com os carros estacionados. Cuidado para não bater naquele carro verde! Eu disse: cuidado com aquele carro verde..." Adivinha onde o cara foi bater? Isso mesmo, no carro verde. Meu instrutor me disse: "Que isso sirva de lição para você. Nunca olhe para o lugar aonde não quer ir." Estou começando a compreender — acrescentou o sobrinho. — Reduzimos o estresse na vida se não tentarmos obter aquilo de que não necessitamos.

— Exatamente. O que acha que sentiríamos se tivéssemos trabalhado feito loucos a fim de conseguir alguma coisa, apenas para descobrir que não necessitamos dela?

— Eu ficaria desapontado — confessou o sobrinho.

— E até mesmo deprimido. Portanto, realmente vale a pena fazer uma pausa e pensar.

— Isso mesmo! E se eu não estiver disposto a parar e pensar no que realmente é o melhor para mim, quem estará? O caso é mesmo muito simples. Quanto mais eu me cuido, mas me sinto bem cuidado.

— O que é que o senhor faz, tio, quando as coisas não correm bem? De que modo cuida de si mesmo?

— Olho para além do mau até encontrar o bom. Talvez seja uma boa idéia você fazer o mesmo quando as coisas parecerem ruins.

— Vou tentar — prometeu o sobrinho. — Posso perguntar o que mais o senhor faz e o que funciona no seu caso?

— Pode. Eu descomplico a minha vida — respondeu o tio. — Trata-se de uma maneira rápida de diminuir o estresse. Corto, desbasto cada vez mais, até chegar ao núcleo do que me faz feliz. Quando consigo que a coisa se torne simples, conservo-a simples. Quanto mais simples a minha vida, mais tranqüila ela se torna.

— E o que faz para simplificar a vida, tio?

Mais uma vez, o tio fez-lhe um desafio:

— Acho que vou lhe pedir que pense no que pode fazer para descomplicar a *sua* vida. — O tio levantou-se e começou a andar pela sala. — Vou lhe dar um pouco mais de meu tempo esta manhã e, em seguida, vou jogar.

— Jogar? — espantou-se o sobrinho.

— Jogar é como rir — respondeu o tio. — É também uma das maneiras como cuido de mim mesmo. Jogar, ou brincar, representa para o corpo o que a boa atitude é para a mente. Nesse aspecto, gosto de jogar tênis com os amigos ou nadar com sua tia.

O sobrinho sorriu.

— Acho o senhor parecido com um amigo meu. A

vida dele não deixa de ter problemas, mas ele adota uma grande atitude. Considera a vida um jogo. Antes de abrir os olhos pela manhã, sempre estende os braços em todas as direções. Diz que se não consegue sentir os lados do caixão, sabe que o dia vai ser bom!

O tio soltou uma gargalhada.

— Atitude, esse é o nome do jogo. A maneira como encara a vida é a melhor maneira de cuidar de si mesmo. Você adota uma perspectiva que o derrota ou o fortalece. E nós podemos *escolher* nossa atitude. À medida que envelheço e, espero, torno-me mais esperto — continuou o tio —, acho que realmente só há duas emoções básicas em minha vida. Elas são o Amor (positiva) e o Medo (negativa). A existência de uma implica a falta da outra. É bem possível que todas as demais emoções sejam variações dessas duas.

— O que é que me diz de apreensão? — perguntou o sobrinho.

— Apreensão é medo do desconhecido — retrucou o tio. — Quando não cuido de mim mesmo, logo me dou conta de que estou agindo com base no medo. Quando resolvo funcionar na base do amor, sinto-me cuidado, feliz. De modo que, quando tomo uma decisão, pergunto a mim mesmo: "Essa decisão se baseia no amor ou no medo?" As decisões que tomo motivado pelo medo não são satisfatórias.

O sobrinho reconheceu para si mesmo que tampouco o eram no seu caso.

— Se tomo uma decisão baseada no amor (a ausência de medo) — prosseguiu o tio —, eu me sinto bem... antes mesmo de saber o resultado. Outra maneira de me cuidar é dar aos outros parte de meu tempo e de meu dinheiro.

— De que modo isso é um exemplo de cuidar de si mesmo?

— Porque — explicou o tio — quando dou parte de meu dinheiro e de meu tempo, isso me lembra de que não *estou* com medo. Acredito que sempre terei o suficiente de ambos para compartilhar com os demais. — E acrescentou: — Quando estou com medo, ainda assim tento tomar decisões que não sejam inspiradas por essa emoção. Adoro essa sensação de *decidir* que não vou ter medo.

As palavras do tio pareciam tão claras que o sobrinho se perguntou se *ele* também aprenderia um dia a cuidar de *si mesmo*.

Como se tivesse lido os seus pensamentos, o tio disse:

— Vou lhe contar uma história verdadeira. Quando era jovem, meu vizinho não sabia se devia aceitar ou não um emprego que lhe fora oferecido em Nova York. Em vista disso, pediu conselhos a um idoso cavalheiro, a quem muito admirava. Esse senhor aconselhou: "Vá sozinho a Nova York. Atravesse o país todo de trem. Não leve nada para ler nem para escrever. Alugue uma cabine particular. Peça ao cabineiro para lhe trazer todas as refeições. Não converse com ninguém. Meu conselho é este." Meu vizinho me contou que, logo depois, arrependeu-se de ter concordado com o conselho do amigo. Mas resolveu cumpri-lo. Depois de alguns dias, ele se encheu de olhar para a paisagem. E o que é que acha que ele fez?

— Começou a pensar? — sugeriu o sobrinho.

— Exatamente — confirmou o tio. — Parou o tempo suficiente para cuidar de si mesmo... para deixar que a resposta lhe ocorresse. Ao chegar a Nova York, tinha certeza de que devia aceitar o emprego. Foi o que fez, obtendo grande sucesso na vida.

— De modo que ele tinha a resposta dentro de si mesmo o tempo todo...

— Mas claro. E o velho sabia que ele a descobriria. Quando meu vizinho parou e pensou alguns tranquilos momentos consigo mesmo, viu qual era a melhor maneira de cuidar-se. E essa decisão ajudou-o também a cuidar melhor da família. O mesmo se aplica a todos nós. Todos sabemos o que é bom para nós. Precisamos apenas reduzir a marcha por tempo suficiente para cuidar de nós mesmos. Agora, adivinhe só o que vou lhe aconselhar a fazer?

O sobrinho sorriu e respondeu:

— De qualquer maneira, tio, acho que vou fazer uma espécie de viagem de trem... sozinho.

PARTE I

Cuidando de Mim

U MA SEMANA se passara desde que o sobrinho estivera na casa do tio. Mas não se sentia tão feliz como esperara.

Relera as anotações feitas durante a conversa. Mas descobrira que conversar sobre reservar Um Minuto para Mim era uma coisa, e outra inteiramente diferente era *fazê-lo*.

Ele simplesmente não fizera.

"Talvez eu não acredite mesmo que isso funcione", pensou, enquanto guiava o carro. "Ou talvez só precise de um pouco de autodisciplina."

Mudar era mais difícil do que previra. Era forçado a reconhecer que não lhe agradava a idéia de mudar. Mas sabia também que, se desejava ser mais feliz, teria de mudar alguma coisa.

Decidiu repassar as anotações e verificar o que tentaria fazer.

Enquanto isso, desligou o rádio e lembrou-se das palavras do tio.

Por algum motivo, lembrou-se de ele ter dito que uma das coisas que *fazia* na vida era...

✷

Simplificar

✷

O tio dissera que continuava a reduzir as coisas às suas verdades mais simples e básicas.

Mas ele achava que a vida era bem mais complicada. Certamente considerava a sua difícil e complexa. E, por isso mesmo, a idéia do tio lhe causava dificuldade.

Contudo, uma vez que não podia reler as anotações enquanto dirigia, resolveu tentar relembrar o que de mais simples e fundamental o tio dissera.

Recordou-se da idéia de procurar ver a diferença entre o que queria e o que necessitava, e entre esperar coisas da fantasia e desfrutar a realidade. E também outras coisas que pareciam ser aspectos importantes para tornar-se mais feliz.

Elas no entanto não lhe pareciam tão simples assim. "Qual a idéia mais simples que eu poderia aplicar neste exato momento?", tentou lembrar-se.

Nesse instante, aproximou-se de um sinal de trânsito. Sorriu. Lembrou-se do quanto a idéia era simples: parar, olhar e escutar. Parar por um minuto; perguntar a si mesmo como poderia cuidar melhor de si; e ouvir sua própria sabedoria interior. Coisas que ele poderia fazer naquele instante.

Notou que não havia carro algum atrás. Continuou parado, então, durante um minuto inteiro.

Perguntou a si mesmo: "Qual a melhor maneira de, neste momento, eu cuidar de mim mesmo?"

Em silêncio, prestou atenção à sua voz interior.

Ali no sinal, olhando para o pára-brisa sujo, franziu as sobrancelhas. "Um dia destes vou ter que mandar lavar este carro", pensou.

Sentia-se melhor quando guiava um carro limpo. Na verdade, um carro sujo, bagunçado, descuidado, fazia com que se sentisse um pouco assim também, embora, na maior parte do tempo, não se desse conta. Mas achava que vivia ocupado demais para arranjar tempo e mandar lavar o carro.

Lembrou-se de que, já fazia algum tempo, andara pensando em mandar lavar o carro ou, pelo menos, pôr um pouco de detergente no reservatório de esguicho no limpador de pára-brisa. Mas, de modo geral, achava que tinha outras coisas a fazer. E, assim, não fazia coisa alguma.

Mas naquele instante descobriu-se olhando para uma paisagem suja, achando que não fizera o que o teria tornado mais feliz.

Olhou pelo pára-brisa imundo, viu que podia prosseguir em segurança e afastou-se do sinal. Já sabia o que fazer.

E perguntou a si mesmo por que não o fizera antes.

Arranjou tempo para ir até o posto, mandar lavar o carro e reabastecer o reservatório do pára-brisa. Telefonou para a mulher, dizendo o que estava fazendo e que chegaria um pouco mais tarde.

Quando quis pagar com cartão de crédito, descobriu

que não aceitavam. O atendente manteve-se firme quanto a isso. Queria dinheiro vivo.

No passado, uma coisa dessas, ao fim de um longo dia de trabalho, o teria aborrecido.

Mas estava se sentindo bem, satisfeito por ter arranjado tempo de fazer algo para si mesmo. E o carro estava reluzente. O homem fizera um bom trabalho.

Sorriu, pagou em dinheiro e foi embora.

E pensou: "É espantoso como uma coisa insignificante como mandar lavar o carro faz uma diferença tão grande." Olhou para o pára-brisa limpo e sorriu. "Vejo o mundo de forma diferente quando cuido melhor de mim mesmo", pensou ainda.

Em geral, chegava em casa sentindo o estresse do trabalho. Tomava um drinque e ia assistir a um programa de tevê.

Naquela noite, porém, resolveu ler um livro sobre uma técnica simples de relaxamento para reduzir o estresse.

Perdera o hábito de leitura, de modo que só conseguiu ler parte do livro. Em seguida, ficou vendo televisão com a mulher e os filhos. Aquilo era relaxante, mas enfadonho.

Na noite seguinte, contudo, terminou o livro. No princípio ficou meio desapontado, porque o livro descrevia uma técnica realmente muito simples.

Duvidou de sua eficácia. Algumas noites depois, contudo, arranjou um lugar tranqüilo, sentou-se numa cadeira, com os pés bem plantados no chão, e fechou os olhos. Profunda e lentamente, inalou e expirou.

Em seguida, mentalmente, pronunciou a palavra "um" e repetiu-a continuadamente. Procurou não pensar em nada senão na palavra "um". Sentiu-se relaxar.

Quando outros pensamentos surgiam, ele suavemente os afastava, repetindo mentalmente a palavra "um", prolongando o som do "m". Fez o exercício durante vinte minutos.

No início, não notou qualquer resultado maravilhoso. Mas continuou a repetir esse método de relaxamento simples todas as manhãs, antes de ir para o trabalho, e novamente à noite. Então, alguma coisa aconteceu.

Não notou quando, mas se deu conta de que, a partir de algum momento, se tornara mais descontraído. Sentia muito menos tensão no pescoço e nos ombros. O estresse diminuiu.

Releu certas partes do livro. Quanto mais estudava e mais usava o método de relaxamento, menor ficava o estresse. E mais tranqüilo se tornava.

Resolveu, em vista disso, continuar empregando a técnica.

Na semana seguinte, partiu em viagem de negócios por várias cidades. Como a viagem era importante, dois colegas o acompanharam.

O vôo procedente de Boston atrasou. Deviam chegar a Los Angeles às nove da noite — ou meia-noite, hora de Boston. Mas o avião sofreu um atraso de duas horas na partida. Ele e os colegas pensaram que chegariam às duas da manhã.

Todos sabiam muito bem que uma reunião importante os aguardava na manhã seguinte. Por isso, estavam ansiosos para chegar logo ao hotel e descansar um pouco. O aeroporto da Costa Oeste, contudo, achava-se encoberto pela neblina. No momento em que desciam, nosso amigo sentiu que o avião arremetia e tornava a subir.

Souberam mais tarde que a manobra fora feita para evitar colisão com outro avião no nevoeiro. O pessoal de bordo informou que iriam pousar em San Diego — a 160km de distância.

Teriam então que fazer uma viagem de três horas de ônibus até o hotel. Seriam felizardos se ao menos pudessem deitar-se numa cama antes da importante reunião.

Nosso personagem sentia-se exausto. Mas então fez algo para cuidar melhor de si mesmo.

Na viagem de ônibus, estivera pensando, furioso, no que acontecera. Se o avião tivesse partido no horário, talvez chegassem antes do nevoeiro. Ou talvez o avião tivesse aterrissado mesmo com a neblina, evitando a longa viagem de ônibus.

Sentiu a fadiga. Achou que jamais conseguiria apresentar-se bem na reunião, de tão cansado. Não se sentia exatamente fortalecido — muito pelo contrário.

Então parou por um minuto e se perguntou se por acaso não haveria uma maneira de tonificar-se. Pouco havia que pudesse fazer a respeito das circunstâncias. Passou então ao que podia controlar: seus pensamentos.

Sabia que a perda de tempo o estava aborrecendo. Resolveu, em vista disso, encarar de maneira diferente as circunstâncias. Viu a si mesmo como não tendo desperdiçado tempo algum no ônibus. Viu-se, isto sim, envolvido no desastre de aviação que poderia ter acontecido no perigoso nevoeiro. E logo compreendeu que um acidente teria consumido muito mais do que simplesmente o seu tempo. Pouco depois, sentiu-se felicíssimo por estar viajando num ônibus confortável.

Nesse momento, a bordo de um ônibus noturno nas estradas do sul da Califórnia, é que entendeu o que o tio lhe estivera dizendo.

Havia algo que o homem podia fazer em apenas um minuto — algo que podia *mudar tudo*.

✼

*Em um Minuto
Posso Mudar Minha Atitude,
e Nesse Minuto Posso
Mudar Todo o Meu Dia*

✼

Nosso amigo esquecera o que o tio dissera — que uma das coisas que o ajudavam a ser mais feliz consistia em ver, além do mau aparente, o bom existente numa situação. Mas o fizera simplesmente formulando uma pergunta a si mesmo e escutando sua própria sabedoria interior. Por si mesmo, descobrira o valor da boa atitude. E sentiu-se mais feliz.

Percebeu com espanto que se achava mentalmente bem descansado quando chegou a hora da reunião. Observando ter se saído melhor que seus cansados colegas, prometeu a si mesmo que compartilharia com eles sua descoberta, caso perguntassem. O que eles não fizeram.

Aquele pacífico momento foi como uma porta que se abriu para ele. Ouvira com freqüência que era útil manter uma boa atitude.

Mas se irritava quando lhe diziam chavões como: "O minuto de escuridão que a lagarta considera o fim do mundo é o momento ensolarado que a borboleta considera o princípio."

Nesse instante, começou a perceber que a frase tinha seus méritos.

Conhecia o valor da boa atitude. Estava *praticando-a*.

A despeito de suas dúvidas, pensou: Reservar Um Minuto para Mim realmente funciona. Permite que eu explore uma parte sábia que há em mim.

E começou a praticar com mais freqüência o que aprendera.

Certa manhã, em casa, quando tomava um banho de chuveiro e esfregava a região atrás da orelha, lembrou-se de uma pequena erupção que o estivera incomodando durante meses. De vez em quando, aquilo coçava e o irritava.

A erupção voltara, mas ele não lhe dera atenção.

Nesse momento, parou por um minuto.

Sorriu e perguntou-se se por acaso não haveria melhor maneira de cuidar de si mesmo.

Logo depois, soube o que fazer. Era óbvio. Simplesmente, nunca arranjara tempo para isso.

Reservou um minuto para telefonar a um dermatologista, marcando consulta para três dias depois.

Ao sair do consultório do médico, onde passara 45 minutos, já se sentia melhor consigo mesmo.

Fora feito o diagnóstico, aplicado o medicamento indicado, e a coceira já começava a desaparecer. O médico lhe garantira também que, se usasse o remédio algumas vezes por dia, a erupção desapareceria.

E descobriu também que, se usasse um xampu adequado ao seu cabelo, sem os produtos químicos que lhe provocavam a alergia, o problema provavelmente nunca mais voltaria.

Perguntou-se por que não começara a cuidar melhor de si mesmo mais cedo — e com maior freqüência.

Às vezes no entanto esquecia-se de *fazer* o que agora sabia funcionar bem em seu caso.

Compreendeu, por conseguinte, que teria de empreender um esforço disciplinado para mudar. E sabia que uma das melhores maneiras de mudar seu comportamento era, *repetidamente*, reservar Um Minuto para Mim, até que tudo se tornasse fácil e natural.

Esse hábito se transformaria em um melhor estilo de vida.

Aprendera e reaprendera a parar por um minuto algumas vezes por dia, a fim de analisar atentamente o que estava fazendo ou pensando.

Em seguida, perguntava-se: "De que modo posso cuidar melhor de Mim mesmo neste exato momento?"

Escutava sua voz interior e geralmente obtinha a resposta.

Compreendeu que, obviamente, cuidar bem de si mesmo levava mais de um minuto. Mas nesse momento entendia bem aquilo que o tio lhe dissera.

Reservar Um Minuto para Mim, pensou, leva-me a pensar e agir melhor do que antes.

Estava descobrindo muitas maneiras de cuidar bem de si mesmo. E sentia-se melhor por isso.

Com o passar dos meses, nosso homem mudou.

Sentiu-se mais feliz.

Mas embora o sistema funcionasse bem, descobriu decepcionado que por vezes se esquecia de aplicá-lo.

Lembrou-se da historinha do garoto que voltou para casa depois do primeiro dia na escola, e a quem pai e mãe perguntaram se havia aprendido muita coisa naquele dia. O menininho respondeu: "Não, vou ter que voltar amanhã."

Era assim que nosso amigo se sentia. Aparentemente, todos os dias, ele precisava reaprender a cuidar melhor de si mesmo.

Sabia contudo, que o faria com freqüência cada vez maior. Porque tinha consciência de que funcionava.

Mas gostaria de saber *por que* funcionava tão bem.

Por que o Cuidar de Mim Funciona / 49

As SEMANAS se passaram com rapidez. Duvidava que o sistema funcionasse, mas iria aplicá-lo, atendendo à sugestão do tio.

Começara a equilibrar sua vida. Estava aprendendo a cuidar tão bem de si mesmo quanto das outras partes de sua vida, incluindo negócios e família.

E sentia-se mais feliz agora do que jamais o fora.

— Obrigado, tio — disse logo ao entrar, em outra visita à sua casa. — O que o senhor me ensinou sobre Cuidar de Mim Mesmo realmente funciona. Já começo a me sentir mais feliz e mais sadio. Tenho mais energia. Até meu estado de espírito melhorou. Gozo mais a vida.

Mas ele gostaria de saber por que isso acontecia. Fez ao tio, em vista disso, duas perguntas:

— Em primeiro lugar, se funciona tão bem como sei que funciona, por que nem eu nem tantas pessoas que conheço cuidamos melhor de nós mesmos, e mais cedo? E, em segundo, por que funciona tão bem?

— Para começar — respondeu o tio —, no passado, todos nós fomos muito competentes em cuidar de nós mesmos. Quando éramos crianças, exigíamos aquilo de que necessitávamos, e o obtínhamos. Nossas primeiras palavras incluíam "meu", "eu" e "quero". Em seguida, começamos a pensar nos outros. E aprendemos palavras como "você", "eles", "nós", "nosso". Nossa progressão natural é a seguinte: pensar em nós mesmos, ultrapassar o nós mesmos e pensar no outro. O mesmo acontece quando somos adultos. Mas quero lhe fazer uma pergunta: em quem pensa na maior parte do tempo?

O sobrinho pensou por um momento e pareceu ficar um pouco embaraçado.

— Em mim — admitiu.

— Todos nós — disse o tio — pensamos principalmente em nós mesmos. Isso é normal e natural. Quando o fazemos sem culpa, *automaticamente* passamos a pensar nos outros. Mas a maioria de nós receia que isso seja egoísmo. Quando éramos crianças, outras pessoas bem-intencionadas tornavam-se receosas por nós. Temiam que se pensássemos demais em nós mesmos, estaríamos menosprezando os interesses do próximo. Sabiam que um egoísmo desse tipo não funciona na vida. Mas em vez de confiar em que cuidássemos de nós mesmos e passássemos em seguida a cuidar dos demais, elas nos pediram para inverter a ordem natural: os outros em primeiro lugar e nós por último, tal como botar a carroça adiante dos bois. Imagine que os outros são "a carroça", que você, "o boi", colocou à sua frente. Agora tente visualizar você e os outros querendo chegar a algum lugar com esse arranjo. Fazer mais força? Sente a frustração? Será que isso funciona no caso de alguém?

— Não — reconheceu o sobrinho. — Assim, se não

posso pôr as coisas em sua ordem natural, tampouco tenho condições de obter grande progresso.

— Exatamente — confirmou o tio. — Mas na estrada para a felicidade, por assim dizer, quase sempre colocamos os outros na frente e ficamos por último. Essa organização não nos leva muito longe. Enguiçamos.

— Se é natural que pensemos em nós mesmos em primeiro lugar, por que nos sentimos culpados quando o fazemos? — perguntou o sobrinho.

— Voltemos por um momento à nossa infância — sugeriu o tio. — Lembra-se de como desenhava um rosto quando era bem pequeno? — Sem esperar resposta, o tio continuou: — Examine hoje os seus desenhos do tempo de menino e vai descobrir que o nariz era desenhado como dois pequenos círculos.

— É mesmo — riu o sobrinho. — Quando eu era pequeno e olhava meus pais de baixo para cima, eles pareciam altos como coqueiros. Tudo o que eu via era a base do nariz: as narinas... dois buracos redondos.

— E a partir dessa perspectiva — observou o tio —, ouvíamos de nossos pais muitas informações bem-intencionadas. O que nos chegava daquela altura toda produzia um impacto. Freqüentemente, eles nos diziam que era errado pensar demais em nós mesmos. Afinal de contas, quem éramos nós? Na verdade, nos disseram isso tantas vezes na infância que aposto que não completará a frase que vou dizer sem que você a termine antes — desafiou o tio.

— Que frase é? — perguntou o sobrinho.

O tio começou:

— "Exatamente quem... você pensa..."

— "Que é?!!!" — disse o sobrinho, completando a frase.

— Ah — riu o tio —, você já a ouviu antes. — Zombeteiro, continuou: — Claro, eu nunca disse nada tão estúpido assim a meus filhos. Oh, não. Mas vamos ver outra. Vamos ver se esta lhe soa conhecida. "Você nunca... pensa em ninguém..."

— "A não ser... em si mesmo?!!" — completou o sobrinho.

— Exatamente. Nossos pais tentavam nos instilar consideração pelas outras pessoas. Mas o que a maioria de nós ouvia? Que devíamos pensar primeiro no próximo, antes de pensar em nós. Assim, imagine como nos sentimos quando nos colocamos em último lugar — disse o tio.

— Em último lugar — reconheceu o sobrinho, com um suspiro.

— Isso mesmo. Você ainda se lembra de como se sentia na infância, quando invariavelmente colocava os interesses alheios à frente dos seus?

— Eu não gostava — respondeu o sobrinho. — E *ainda* não gosto.

— Ninguém gosta — observou o tio —, ninguém que seja honesto consigo mesmo. Sabíamos disso na infância. Trata-se de um conhecimento natural que

todos nós possuímos. Compreensivelmente, nossos pais receavam que nos tornássemos pequenos monstros, sem consideração alguma pelos sentimentos dos demais. E assim, no cuidado de desenvolver em nós uma sabedoria suficiente para levar em conta as outras pessoas, eles se esqueceram de nos dedicar a mesma atenção. Após ouvir a mesma coisa um sem-número de vezes, começamos a nos colocar no fim da linha.
— Uma pausa e o tio perguntou: — Já ouviu falar no efeito Elefante Amarelo?

Sorrindo, o sobrinho respondeu:

— Ainda não.

— Pois está prestes a ouvir — disse o tio com uma risadinha —, quer queira quer não. E com ele aprenderá uma verdade simples sobre a sua mente inconsciente. Por favor, faça o que lhe digo: "Não, repito, não pense em elefantes amarelos."

O sobrinho começou a rir.

— Não pense nem mesmo num único elefante amarelo... e muito menos numa manada de elefantes amarelos correndo pelas planícies poeirentas da África. Agora, responda: no que é que você está pensando?

O sobrinho sorriu.

— Em elefantes amarelos.

— Está vendo? — observou o tio. — Nossa mente inconsciente não dispõe de filtro. Deixa que todas as imagens penetrem, mesmo que sejam irreais. Embora

*

*Quanto Mais Cuido Bem
de Mim Mesmo,*

*Menos Ressentimentos
e Raiva Sinto*

*E Mais Carinhoso Me Torno
Comigo Mesmo e com os
Demais*

*

algumas de nossas crenças não passem de elefantes amarelos, elas continuam atuando em nossa mente. O que ouvimos das pessoas penetra em nossa mente sob a forma de imagens. E tendemos a acreditar naquilo que vemos e ouvimos com grande freqüência. Muitas vezes acreditamos em pelo menos duas coisas que trabalham contra nós. Em primeiro lugar, acreditamos erroneamente que devemos sempre pôr os outros em primeiro lugar e a nós por último. A verdade é que precisamos *equilibrar* nossos interesses com os dos demais. Em segundo, acreditamos com freqüência que não merecemos pensar em nós mesmos. A verdade é que *de fato* merecemos. — Animado, o tio continuou: — Agora, vamos fazer uma idéia mais estimulante e mais feliz do que a vida pode ser. Procure lembrar-se das últimas semanas, quando cuidou melhor de si mesmo. Sentiu-se menos irritado?

— Realmente! Minha mulher e outras pessoas comentaram esse fato.

— A razão por que isso funciona é simples — disse o tio.

— Você não está tão irritado porque finalmente vem realizando o que, para começar, sempre fez sentido para você. Está pondo sua vida em equilíbrio, ao cuidar tão bem de si quanto cuida dos demais. De modo que não se sente mais tão frustrado. Não é de surpreender que os outros também o achem menos irritado. Provavelmente, você não mais os considera culpados pelo que esteve fazendo consigo mesmo.

— Sabe de uma coisa? Isso realmente faz sentido para mim — confessou o sobrinho. — Foi assim que me senti ultimamente. Mas por que o método de Um Minuto funciona tão bem? Parece tão simples que acho difícil compreender sua eficácia.

— Um Minuto para Mim — respondeu o tio — é a aplicação simples, na vida moderna, de uma verdade antiga. Ela foi descrita por numerosas pessoas em diferentes culturas ao longo das eras, incluindo as da China, Índia e Oriente Médio. Os filósofos zen chamam a esse poder *auto-observação*. É uma capacidade que todos possuímos, mas que poucos usam. O poder da auto-observação começa num momento de silêncio. Neste método em questão, leva apenas um minuto. Mas, claro, esse minuto simplesmente dá início ao processo. Nesse momento de tranqüilidade, podemos começar a *ver* o que estamos fazendo... ou pensando. Podemos observar a *nós mesmos*.

— E quando *vemos*... o que fazemos... podemos então... *mudar* o que estamos fazendo — concluiu o sobrinho. — É isso?

— Quase — disse o tio. — Não é tanto que possamos *mudar* o que estamos fazendo. É mais que possamos *decidir* sobre o que estamos fazendo. Podemos resolver mudar ou não. O importante é que, nesse único minuto, podemos observar nossa conduta e pensamentos. Podemos escolher em seguida a conduta ou o pensamento. Podemos começar a cuidar melhor de nós mesmos. Mas isso é apenas o princípio.

— É apenas o princípio porque dá início a um processo mais amplo? — quis saber o sobrinho.

— Exatamente — concordou o tio. — O método de Um Minuto pode desvendar um mundo amplo para todos nós.

— Que mundo? — perguntou o sobrinho.

— O mundo mais tranqüilo em que você penetra é o seu próprio mundo interior... o seu *eu*. Mais uma vez, ele recebeu numerosos nomes através das épocas. Mas para mim é tão simples quanto as palavras que uso para descrevê-lo: Meu Melhor Eu. Como quer que queira chamá-lo, o poder... e o método é muito poderoso... o poder surge quando reservamos tempo para entrar num estado de tranqüilidade e dar ouvidos a esse Melhor Eu.

— O que é o Meu Melhor Eu? — perguntou o sobrinho.

— No íntimo, todos temos uma parte que sabe o que é "melhor" para nós. Não obstante, o homem moderno, e isso nos inclui, corre tanto que deixa a si mesmo para trás, ignorando todos os sinais de aviso que lhe dizem que errou o caminho e que precisa retornar ao rumo certo. Quando nos damos um tempo para parar, olhar e escutar a nós mesmos, descobrimos o que é melhor para nós. Esse o motivo por que é útil fazer algo tão simples como passar um minuto especial com o nosso melhor eu. Nesse minuto, podemos começar a nos compreender.

Todos os dias, se apenas procurarmos, teremos oportunidade de cuidar de nós mesmos e dos demais.

O sobrinho o interrompeu:

— Isso me lembra uma historinha.

O tio sorriu. Agradava-lhe ver que o sobrinho estava encarando a vida com menos seriedade.

— Um homem estava isolado no telhado de sua casa, cercado pelas águas revoltas de uma inundação. Várias pessoas vieram em seu auxílio, mas ele se recusou a deixar a casa, dizendo: "Eu sou um homem bom. Deus me salvará." Infelizmente, morreu afogado. E como ficou fulo de raiva! Ao chegar ao céu, queixou-se logo: "Deus, por que não me salvou?" Deus respondeu: "Eu lhe enviei um tronco, dois botes e um helicóptero." — Encolhendo os ombros, concluiu: — "Para algumas pessoas, nunca se faz o suficiente."

O tio soltou uma risada.

— Essa é boa. Se não cuidamos de nós mesmos, os outros nunca podem fazer o suficiente para nos tornar felizes.

— Devo reconhecer que, por mais simples que seja, quando faço isso posso revelar o que há de melhor em mim — confessou o sobrinho.

— E quando revelamos o melhor que há em nós — observou o tio —, de quem revelamos também o melhor?

— Dos outros? — perguntou o sobrinho.

— Exatamente — confirmou o tio. — Na verdade, uma das maiores alegrias que sinto ao cuidar de mim mesmo é descobrir que isso contitui também a melhor maneira de ajudar o próximo. Quando o faço, todos nós nos beneficiamos. Mas isso é assunto para outro dia.

O SOBRINHO refletiu sobre tudo o que ouvira, seus pensamentos se misturando com os do tio.

— Obrigado, tio — disse —, por ter compartilhado comigo de sua sabedoria. Ou melhor, por me ajudar a descobrir minha própria sabedoria. Entendo agora a necessidade de equilibrar um melhor cuidado comigo mesmo e um cuidado atento para com os demais. E me sinto melhor por isso.

Mas ocorreu-lhe outro pensamento. Perguntou:

— Tio, não terá por acaso um resumo escrito desses conselhos?

— Claro que tenho — respondeu o tio. — Quando aprendia a cuidar de mim mesmo, achei de valor inestimável ler e reler o resumo. Na verdade, tem como objetivo lembrar-me logo do que preciso fazer quando me sinto infeliz. Mas devo preveni-lo de que surgem ainda ocasiões em que me esqueço de fazer aquilo que sei que funciona. Nesses momentos, perco também a paz de espírito. *O segredo consiste em fazer.*

O sobrinho sabia muito bem o que o tio estava querendo dizer.

— Podia me dar uma cópia do resumo? — pediu.

O tio inclinou a cabeça, abriu a carteira e entregou ao sobrinho um pequeno cartão intitulado *Um Minuto para Mim.*

Um Minuto para Mim: Resumo

O que é:

- Equilibro minha vida cuidando tão bem de mim quanto cuido de minha família, meus amigos e meus negócios.
- Trato de mim como gostaria que os outros me tratassem.
- Paro, olho e escuto.
- Várias vezes por dia, reservo um minuto, paro e pergunto a mim mesmo: "Há alguma maneira de eu cuidar de mim mesmo neste exato momento?"
- Sei que a resposta está dentro de mim. Tranqüilo, escuto a sabedoria do Meu Melhor Eu. Espero que me seja comunicada.
- Descubro o que é melhor e geralmente o ponho em prática.
- Dou a mim mesmo e recebo de mim mesmo.
- Sou mais feliz.

Por que funciona:

Quando cuido tão bem de mim quanto cuido dos outros, sinto-me mais feliz. Isto porque, quanto mais cuido de mim, menos irritado fico comigo mesmo e com os demais. E mais carinhoso me torno.

PARTE II

Cuidando do Você

Voltando à casa do tio na manhã do sábado seguinte, o sobrinho disse, entusiasmado:

— Não posso explicar a diferença. Desde que comecei a cuidar mais de mim, sinto-me mais feliz e mais tranqüilo. Tenho mais energia. Consigo realizar mais e melhor o meu trabalho. Sinto-me ótimo!

O tio ficou satisfeito. Mas não inteiramente de acordo.

— Sei como você se sente bem! — exclamou. — Senti o mesmo júbilo quando, pela primeira vez, dei a mim mesmo permissão de me cuidar melhor. Mas também não sente algo diferente? — perguntou. — Que alguma coisa está faltando?

O sobrinho ficou um pouco desapontado porque o tio acabara com a sua alegria. Mas lembrou-se e perguntou a si mesmo: "Será que não posso fazer algo melhor neste momento do que me sentir desapontado?" Resolveu, em vista disso, prestar atenção ao entusiasmo do tio, enquanto recordava como a experiência também fora boa para ele.

Mas depois perguntou-se por que o tio ressalvara sua reação. O que mais poderia aprender?

— Agora que o senhor falou nisso — reconheceu —, parece que alguma coisa está faltando... permanece incompleta.

— Onde foi que você ouviu isso antes? — indagou o tio.

O sobrinho lembrou-se de sua antiga busca da felicidade e de pessoas com quem conversara e que só pensavam em si mesmas. Elas lhe tinham dito que também se sentiam "incompletas".

— Eu me sinto completo — observou o tio — quando cuido do "Eu", do "Você", e do "Nós" de que falamos. Lembre-se de como se sente bem alimentado ao comer seu prato favorito. Mas talvez seja bom também pensar no seguinte:

*

Pensar Apenas em Mim Mesmo É Como Comer Apenas Meu Prato Favorito

*Uma Vez... e Mais Outra... e Mais Outra... e Mais Outra...
e Mais Outra... e Mais Outra...*

*

— Entendi, entendi! — exclamou o sobrinho. — Isso logo pode se tornar desmotivante e chato.

O tio sorriu e perguntou:

— Desmotivante e chato para quem?

— Para mim — retrucou o sobrinho. — E... — compreendeu de repente — para os que convivem comigo.

— Se é assim, qual é a solução, no seu entender? — quis saber o tio.

— A solução parece ser equilibrar a preocupação comigo mesmo... com... atenção aos demais. Acho que cuidar tanto deles quanto de mim mesmo. Cuidar bem de mim mesmo, como aprendi nestas últimas semanas, funcionou muito bem no meu caso. Sinto-me mais feliz e mais tranqüilo. Mas agora estou querendo saber que efeito isso produziu sobre as outras pessoas.

— Por que não descobre? — sugeriu o tio.

— Como?

O tio sorriu, mas não respondeu.

O sobrinho entendeu:

— O senhor quer que eu mesmo descubra. Vejamos... O senhor certamente cuida de si mesmo, tio. Acho que eu poderia conversar com pessoas que o conhecem e verificar que efeito isso produziu sobre elas.

Tão logo o tio fizera a sugestão, o sobrinho soube com quem queria conversar: seus colegas de trabalho e talvez, depois, com a pessoa que o conhecia melhor do que ninguém.

Levantou-se e trocou um aperto de mão com o tio predileto. Sentiu que chegara o momento de ultrapassar o interesse por si mesmo.

Uma colega de trabalho do tio recebeu-o em seu gabinete.

— Então, você quer saber como cuidar bem de si mesmo pode afetar as demais pessoas?

"Ela vai mesmo direto ao assunto", pensou o sobrinho. "Não é de admirar que seja a chefe aqui."

— Seu tio realmente me ajudou muito — disse ela — e, se eu puder ajudá-lo, será para mim uma grande satisfação. Há alguns anos, seu tio ensinou a muitos de nós uma lição muito importante. Naquela época ele era o chefe de meu chefe. E, para ser franca, era insuportável.

O sobrinho ficou espantado.

— Mas já foi há muito tempo. Em seguida, aconteceu algo extraordinário. Ele se tornou mais agradável. E o seu trabalho, embora já fosse bom, melhorou espetacularmente. Nenhum de nós conseguiu descobrir o que acontecera com ele. Por fim, tomamos coragem e perguntamos... Mas, em vez de nos dizer, ele nos fez perguntas, como se tivéssemos as respostas.

O sobrinho riu. Sabia muito bem o que ela estava tentando dizer.

— Seu tio nos perguntou: "Quanto tempo vocês passam cuidando de si mesmos? Cuidam mais do trabalho do que de si mesmos?" Reconhecemos que não estávamos cuidando lá muito bem de nós mesmos. Vivíamos ocupados demais com outras coisas. Ele nos disse em seguida que começara a conceder a si mesmo mais tempo e atenção... tanto quanto dedicava aos demais, incluindo família e colegas de trabalho. Ficamos surpresos.

— Por quê? — perguntou o sobrinho.

— Porque notamos que ele estava realizando um trabalho muito *melhor* cuidando dos negócios. E mantendo relacionamentos muito melhores com as outras pessoas. Aquilo parecia exatamente o oposto do que dizia. Contou-nos que era porque passara a cuidar-se mais. Esse fato chamou-nos a atenção. Mais tarde, disse-nos ter descoberto que a maneira como tratava os demais era tal qual fazia consigo mesmo. E me desafiou a fazer uma análise de meus relacionamentos. Eu já percebera que cuidar de si mesmo melhorara o relacionamento de seu tio com os outros. De modo que pensei no caso. Admiti para ele e para mim mesma que gostava muito de criticar as pessoas. E elas não gostavam muito disso. Ele me perguntou a quem eu criticava mais. Respondi: "Critico mais a mim mesma." Ele sugeriu então que eu cuidasse mais de mim mesma e me perguntou quando eu achava que podia começar.

Ambos, a executiva e o jovem, sabiam bem a resposta:

— De modo que comecei a reservar um minuto para mim. Quando começava a criticar alguma coisa em mim mesma, separava um minuto para simplesmente parar, olhar e perguntar: "Há alguma..."

O jovem completou a frase:

— "... maneira melhor de cuidar de mim mesma neste exato momento?"

— Isso mesmo. Sabe, é espantoso como me ajudou simplesmente parar, olhar e me fazer essa pergunta. Meus relacionamentos pessoais melhoraram imensamente, no trabalho e em casa.

— O que foi que você fez?

— Logo que começava a me criticar, parava e via o que estava fazendo comigo. Depois, substituía o pensamento crítico por algo que apreciava em mim mesma. Ou, quando não gostava realmente de minha conduta, eu criticava o *comportamento*, mas nunca *eu mesma*. Quando percebi que o que eu *fazia* não representava o que eu *era*, logo se tornou mais fácil interromper o que estava fazendo.

— E o que aconteceu depois?

— Comecei a me sentir melhor comigo mesma. Passei a trabalhar melhor... tanto sozinha quanto em equipe.

— Foi fácil? — perguntou o rapaz.

— Não, não no princípio. Foi duro criar o hábito de me conceder aquele minuto. Só quando dei uma freada e comecei a me conceder aquele minuto algumas vezes por dia, todos os dias, é que as coisas começaram a melhorar.

O visitante procurou lembrar-se de quantas vezes durante o dia ele se reservava esse minuto. Mesmo cinco vezes por dia consumiriam apenas cinco minutos. Resolveu praticar o método com mais freqüência.

— Como foi que as coisas melhoraram para você?

— Logo que parei de me criticar, deixei de criticar também os demais. Comecei a me relacionar melhor com as pessoas no trabalho e a conseguir mais resultados. Obtínhamos maiores resultados em menos tempo. Foi espantosa a rapidez com que aconteceu. A notícia se espalhou e, logo depois, todo mundo estava também parando por um minuto. Evidentemente, todos conseguiram os mesmos resultados.

— O que quer dizer com isso? — perguntou o rapaz.

— Nosso gerente-geral daquele tempo convocou-nos para uma reunião e disse-nos que havíamos quase duplicado os lucros do departamento! Queria saber o que estava acontecendo. Quando lhe contamos, acho que ele entrou em choque. Mas sorriu e disse: "Desde que funcione..." Mais tarde, soubemos que ele começara também a reservar um minuto para si mesmo.

— E por que não, já que o sistema funciona? — observou o jovem.

— A ironia — disse ela — é que eu gastava mais tempo cuidando de mim mesma e menos dos demais. Ainda assim, meu trabalho e os outros se beneficiavam. Pode-se ser mais prático do que isso? — Após pequena pausa, a executiva acrescentou: — ele é seu tio legítimo, mas foi também uma espécie de tio postiço para nós, dizendo-nos o que precisávamos ouvir para o nosso próprio bem. E agora que um número suficiente de nós se cuida, os negócios estão florescendo. E não é apenas o negócio que se beneficia.

A mulher olhou em torno de seu grande gabinete de canto, abriu bem os braços e continuou:

— Como você vê, reservar Um Minuto para Mim,

durante vários períodos do dia, produziu resultados. — Ela sentia-se obviamente orgulhosa do que aprendera. — Sinto-me mais feliz em casa e mais bem-sucedida no trabalho — continuou — desde que aprendi com seu tio a mais importante de todas as lições. Ele me ensinou que o fator decisivo para ajudar os outros era ajudá-los a cuidarem de si mesmos. Conservo esta placa em minha escrivaninha para não esquecer esse conselho:

Uma das Melhores Maneiras de Ajudar Outras Pessoas

Consiste em Estimulá-las a Cuidarem Melhor de Si Mesmas

E Recompensá-las Quando Assim Agirem

— Desde que me tornei mais consciente desse fato óbvio — prosseguiu a executiva —, tenho estimulado as pessoas que me cercam... marido, filhos e colegas de trabalho... a se cuidarem melhor. Aqueles entre nós que conseguem desempenhar um trabalho melhor aqui estão se cultivando.

— O que é que vocês fazem? — perguntou o visitante.

— Digamos que o nosso objetivo pessoal seja possuir mais energia, ter um corpo esbelto, ou gozar mais a vida. Todos os dias, antes de começar a trabalhar, fazemos alguma coisa que implique cuidar de nós mesmos. Talvez fazendo exercícios ou tomando vitaminas, não importa. Mas fazer alguma coisa especial por nós mesmos.

— Não tem a menor importância — lembrou ela — o que fazemos para cuidar bem de nós mesmos. O que importa é a grande satisfação que sentimos ao saber que estamos nos respeitando o suficiente para nos colocarmos em primeiro lugar. Somos pelo menos tão importantes quanto nosso trabalho. Claro, freqüentemente reservamos um minuto para nós mesmos enquanto trabalhamos... a fim de obter melhor perspectiva, ou restabelecer o equilíbrio quando frustrados por algum problema. É extraordinária a rapidez com que isso nos ajuda a focalizar corretamente os problemas. Estou aprendendo que é vantajoso para mim estimular os demais a se cuidarem melhor. Quando faço um trabalho realmente bom de cuidado de mim mesma, descubro que essa é realmente a melhor maneira que conheço de cuidar dos demais.

— Como assim? — quis saber o visitante.

— Por que não pergunta a meu marido? — sugeriu a mulher.

Os sinos da praça tocavam o meio-dia quando o nosso personagem aproximou-se do estúdio do artista. A executiva telefonara para o marido, que concordara em convidar o visitante para o almoço.

O marido pintor, que estava justamente tirando a bata quando ele entrou, mandou buscar frutas frescas e sanduíches para o almoço.

— É um prazer tê-lo aqui — disse. — Conversar sobre o motivo por que o Cuidar do Você funciona me dá oportunidade de rever a beleza desse conceito. Desde que passei a fazer o que minha mulher me aconselhou... começar a cuidar de mim mesmo... ando produzindo mais. O engraçado é que ultimamente as pessoas me dizem que eu também as estou tratando melhor. De modo que pensei um bocado sobre esse assunto.

Parou um momento para ordenar os pensamentos e continuou:

— Procurei fazer o que minha mulher sugeria porque sabia que ela estava cuidando de si mesma, e vi o efeito que isso produzia. No início, não gostei do que ela fazia, porque pensei que poderia ser posto de lado. Mais tarde, porém, notei que ela se tornara mais atenciosa para comigo do que antes. Em breve, eu já estava dizendo: "Ei, você precisa cuidar-se mais. Isso é maravilhoso." Comecei a me perguntar por que pessoas que se cuidam são tão úteis às pessoas que as cercam. Certa vez, comentei minhas idéias com seu tio e ele concordou.

— Quando cuidamos bem de nossas necessidades, ficamos satisfeitos com nós mesmos. E em seguida *que-*

remos voltar a atenção para os demais. Não é que tenhamos de fazer isso. Queremos fazer. E sentimo-nos bem fazendo. Estimulamos em seguida as pessoas a se cuidarem e as recompensamos quando assim agem. Isso realmente as agrada. Qualquer um adora conviver com pessoas que se cuidam e ter permissão (como se realmente necessitassem disso!) de cuidar bem de si mesmo.

— Mas às vezes não é difícil — perguntou o visitante — lembrar-se de permitir que as outras pessoas se cuidem... especialmente se deseja, na verdade, que dêem a *você* toda a atenção?

— Era — reconheceu o artista. — Até que reconheci a vantagem monumental que havia nisso para mim.

— Vantagem? — repetiu o visitante, em dúvida.

— Isso mesmo. Uma vantagem muito prática para mim.

— Não estou entendendo bem — observou o visitante.

O artista levantou-se e, com um floreado zombeteiro, pintou o argumento numa tela. Depois, virou-a, a fim de mostrá-la ao visitante.

Todas as palavras, menos uma, haviam sido pintadas em preto. A última fora sublinhada e pintada em vermelho.

O argumento era o seguinte:

*

*Quando Outras Pessoas
Cuidam Bem de Si Mesmas*

*Elas Se Sentem Mais Felizes
Consigo Mesmas...
e <u>Comigo</u>!*

*

— Nunca pensei nisso. Mas você tem razão. Meu tio, por exemplo, é hoje muito mais atencioso comigo do que antes.

— Pense — sugeriu o artista. — Isso não aconteceu depois que seu tio começou a ser muito mais bondoso consigo mesmo?

— Exatamente — reconheceu o sobrinho. — Assim, se desejo ser tratado melhor pelas outras pessoas, devo estimulá-las a se tratarem melhor. Isto porque, quanto melhor se tratarem, melhor tratarão as demais. É maravilhoso.

— Se é — confirmou o artista. — Daí ser vantajoso ajudarmos as outras pessoas a dedicarem mais atenção a si mesmas, a fim de expressarem o que de melhor possuem. Neste caso, passaremos a desfrutar do seu melhor Eu. Minha mulher foi bastante inteligente para perceber esse fato. E desde que me ensinou a fazer o mesmo, o sistema produziu grande diferença em minha vida. E também em conseqüência, na dela. Quando cuidamos de nós mesmos, estamos na realidade cuidando muito bem dos demais.

O visitante ficou pensativo durante alguns momentos; em seguida, disse:

— Isso me lembra um incidente aparentemente insignificante que me aconteceu ontem, mas que me leva a compreender a importância do que está dizendo.

— O que foi? — perguntou o artista.

— Eu estava fazendo compras, comprando coisas para a família. Mas também cuidei de mim mesmo e comprei uma fita cassete de música para mim. Coloquei tudo na mala do carro e voltei para casa. Estava atrasado e com muita pressa. Mas logo que deixei o *shopping center*, senti grande desejo de escutar a fita. Mas isso exigiria que eu parasse e tirasse a fita da mala. Achei simplesmente que não dispunha de tempo para tal. O pessoal me esperava em casa. Depois, compreendi que naquele dia só tinha cuidado dos outros. Em conseqüência, perguntei a mim mesmo: "Há, neste exato momento, maneira melhor de eu cuidar de mim mesmo?" Descobri logo que havia. Parei junto ao meio-fio, abri a mala, tirei a fita, desembrulhei-a e coloquei-a para tocar. E voltei para casa feliz, ouvindo música.

— Deixe-me adivinhar o que aconteceu — disse o artista. — Dirigindo-se para casa, você se sentiu bem, feliz. Se não houvesse parado, mas apenas corrido para casa, teria achado que, mais uma vez, cuidara melhor dos outros do que de si mesmo. E teria voltado de péssimo humor.

— Exatamente — reconheceu o visitante. — Eu teria me sentido *vítima*. — E riu de sua própria tolice.

— Vou ver se consigo interpretar o que aconteceu — disse o artista. — Cuidando de si mesmo ao fazer algo tão simples, como escutar fita nova de música, você chegou em casa sentindo-se feliz e cheio de energia. Não apenas esperava com prazer o momento de rever a família e chegar mais bem-disposto, como todos ficaram contentes ao notar isso quando você entrou. E a família teve uma noite muito mais agradável.

— Como adivinhou? — perguntou o visitante, espantado.

— Aconteceu o mesmo comigo — explicou o artista. — Não da mesma forma, mas conheço bem a sensação. Você é igual a diversas pessoas que estão aprendendo a nova técnica. Está ensinando a si mesmo que, ao cuidar-se, dá às pessoas que o cercam um grande presente: um você mais feliz e mais agradável. E, por falar em cuidar bem de mim mesmo... — continuou o artista, olhando para a tela inacabada.

O visitante sorriu e disse:

— Entendo. Sei que quer voltar à sua pintura e vou embora. E me convenci ainda mais de que cuidar bem de mim mesmo é também a melhor maneira de cuidar dos demais. Ou o melhor de dois mundos. Obrigado por ter se importado o suficiente com os outros para me receber. Você foi de grande ajuda.

Trocaram um aperto de mão e se despediram. Logo que pudesse, nosso amigo pretendia fazer um resumo do que aprendera. Queria gravar tudo aquilo na memória.

E sabia aonde iria em seguida.

A FASTANDO-SE do estúdio do artista, percebeu como era importante pensar — pensar realmente — nas *outras* pessoas.

Achava que era atencioso com os demais. Na verdade, costumava importar-se mais com o que os outros pensavam dele do que com o que pensava de si mesmo. Considerava mais importante o que as pessoas pensavam *dele*.

Nesse momento, soube que o importante para os outros não era o que pensavam *dele*, mas o que eles pensavam de *si mesmos*.

Compreendeu que devia ser assunto de alta prioridade para as outras pessoas pensarem bem de si próprias, pois isso as ajudava a se irritarem menos consigo mesmas. E, por conseguinte, a se irritarem menos com ele.

Parou em mais um sinal de tráfego.

Desta vez, via as coisas de maneira diferente. Compreendia que era de seu melhor interesse que as outras pessoas parassem e cuidassem também de si mesmas.

Se não o fizessem, elas se chocariam com ele e o magoariam — embora não tivessem a menor *intenção* de assim proceder.

Nesse momento, nosso homem teve uma introvisão, um *insight*.

Mais do que encorajar a família a parar e cuidar de si mesma, ele devia *recompensá-la* quando assim agisse.

Quando a mulher e os filhos descobrissem a melhor maneira de cuidarem de si mesmos, ele os recompensaria com elogios.

Parou o carro no acostamento da estrada e tomou algumas notas, enquanto as idéias continuavam frescas.

Cuidando do Você: Resumo

- O você é o "eu" em *você*. Somos basicamente iguais — você e eu. Lembrando-me disso, posso ajudá-lo a cuidar melhor de si mesmo.
- Reconheço que cuidar bem de você é tão útil para você quanto cuidar bem de mim o é para mim.
- Posso ajudá-lo de muitas maneiras diferentes.
- Uma das melhores que conheço é estimulá-lo a cuidar bem de si mesmo. Isso porque, quando assim procede, você se sente mais feliz.
- Quando você se sente mais feliz, outras pessoas — eu inclusive — sentem-se mais felizes em sua companhia.
- Mostro-lhe melhor *com um exemplo* o quanto é bom para mim e para as pessoas que me cercam quando paro a fim de cuidar melhor de mim mesmo.
- Sinto-me equilibrado e atencioso quando ajudo os demais a se cuidarem melhor. E quando posso ajudá-los pessoalmente a assim agir.
- Quando cuida bem de si mesmo, você — como eu — está ajudando também os demais a cuidarem de si.

PARTE III

Cuidando do Nós

P‌asseando com a titia, como era chamada por todos, velhas recordações acorreram ao nosso amigo. Lembrava-se ainda dos bolos que ela fazia quando a visitava em companhia dos pais.

Mas não se lembrava do tio e da tia como um casal muito unido.

— Titia, você parece ter um relacionamento muito bom com o tio. Tem mesmo?

Continuando a andar, ela virou-se para ele e respondeu:
— Tenho, sim.

E pareceu saborear esse momento.

Parando por um momento, ela continuou:
— Mas não foi sempre assim. Não se lembra? Talvez você fosse criança demais. Houve tempo em que ele vivia ocupado demais cuidando dos negócios. E acho que eu também, cuidando das crianças. Não dávamos atenção suficiente um ao outro. E, com toda a certeza, não estávamos cuidando bem de nós mesmos. Na verdade, a decepção com nosso relacionamento era mútua. O que tínhamos não era o que queríamos.

— E o que vocês queriam? — perguntou o sobrinho.

A tia soltou uma pequena risada.

— Praticamente tudo! Queríamos que um cuidasse do outro, que dividisse suas dores e alegrias; queríamos ao mesmo tempo nos sentir livres e ligados, não ser julgados, merecer respeito; saber que as coisas nem sempre correriam bem, mas que poderíamos superar brigas com amor, que um estaria ali quando o outro precisasse de apoio. Queríamos amar e ser *amados*.

Continuou a andar, pensativa. Em seguida, disse:

— Acho que queríamos aquilo com que sonha a maioria dos casais. Queríamos ser abraçados, acarinhados, sentir que nos excitávamos mutuamente, que tínhamos importância... especialmente um para o outro. Um grande relacionamento... e tenho certeza de que você sabe disso... se constitui de grande número de coisas maravilhosas.

— E acrescentou: — Acho que, no princípio, cada um de nós amava o outro mais do que a si mesmo. Eu pensava que era o máximo. Mas esse sentimento não durou muito. Depois, começaram os problemas. Não quisemos enfrentá-los e, assim, passamos um bocado de tempo nos ocupando com outras coisas. Não me lembro bem com o quê. Mas exatamente no momento em que parecia que a situação ia levar a um rompimento, nossa vida melhorou.

— O que aconteceu? — perguntou o sobrinho.

— Bem, eu não sabia, mas alguma coisa havia acontecido com seu tio. Durante algum tempo, ele não deu muita importância. Dizia simplesmente que se tornara mais sábio. Hesitava em me contar a mudança ocorrida com ele.

— Mas você descobriu, titia.

Ela sorriu e respondeu:

— Se descobri! Descobri muito mais do que acontecera com ele. Seu tio fez uma coisa simples, que contribuiu para que muitos outros aspectos importantes de nosso relacionamento se transformassem naquilo por que havíamos esperado. Então, aprendi a fazer a mesma coisa. Mas acho que é melhor eu começar do princípio.

O sobrinho ficou satisfeito. Achou que aquele passeio ia ser bom e demorado.

Andando ao lado da tia, fez uma pergunta cuja resposta há muito procurava:

— De que modo, num relacionamento, posso conseguir com que minhas necessidades básicas sejam atendidas?

— Você pode conseguir que algumas necessidades muito importantes sejam satisfeitas... como romance, ternura, senso de integração. Mas não que as básicas sejam atendidas... tal como tornar-se mais feliz. Isso quem tem de fazer é você mesmo. No minuto em que um de nós passa a esperar que um relacionamento satisfaça suas necessidades básicas, começa a experimentar sofrimento. E acredita que a culpa é da outra pessoa. Lembro-me do tempo em que seu tio e eu fizemos tudo para um cuidar bem do outro. Porém, por mais que nos esforçássemos, nunca parecia ser o suficiente. — Sorriu e disse: — Agora eu me sinto muito bem cuidada.

— De que modo o tio cuida de você agora?

— Agora ele faz muitas coisas por mim. Escuta o que eu digo, de vez em quando me traz cartões de amor e flores, me dá apoio quando estou nervosa, pede sentidas desculpas quando sabe que me magoou, brinca e ri comigo... faz uma afinidade de coisas que nunca fez antes. — Titia parou e pensou por um momento, antes de continuar: — Desde que aprendeu a cuidar melhor de si mesmo, ele cuida melhor de nós. Na verdade, entre todas as coisas bondosas que faz por mim, a melhor é me ajudar a cuidar bem de mim mesma.

O sobrinho ficou calado por um instante. Depois, perguntou:

— De que modo o tio a ajuda?

— Ele me faz perguntas do tipo: "O que é que você vai fazer hoje por si mesma, querida?" Ele sabe que, se eu não cuidar melhor de mim mesma, mais cedo ou mais tarde vou descobrir alguma razão para me aborrecer com ele... simplesmente porque ele é quem se acha mais perto, embora eu esteja realmente aborrecida comigo mesma. E quando de fato cuido melhor de mim, ele sabe que vou gostar muito mais de tudo, inclusive dele. Sabe que a atenção recíproca e a comunicação fazem com que nosso relacionamento funcione. E que precisamos não só de nós mesmos, mas também dos demais, para nos sentirmos felizes. De modo que ele diz: "Quero que você e eu sejamos felizes com você, portanto cuide-se amor. E me diga se eu puder ajudá-la." Entenda, ele sabe que, por causa da maneira como fui criada, eu talvez não pense em mim em primeiro lugar. Esse o motivo por que me ajuda a fazê-lo.

Ela sorriu e continuou:

— No princípio, ele parecia me dar permissão para assim proceder. Agora compreendo bem o presente que me deu. Só que eu não precisava de permissão de ninguém para cuidar de mim mesma. Sei disso agora e vejo o que devo fazer. Ele simplesmente me ajuda a ver isso. E, claro, se beneficia tanto como eu. Assim, quanto mais faço algo por mim mesma, mais satisfeito ele fica.

— Por quê? — perguntou o sobrinho.

— Porque quando cuido bem de mim mesma — respondeu ela com uma explosão de energia —, sinto-me realmente viva e torno-me uma pessoa de convívio muito mais agradável. E seu tio me ama quando fico assim.

— O que é que você faz, titia, quando ele não lhe dá nenhuma atenção? Sente que não é amada?

— Quando acho que ninguém está cuidando de mim, sinto-me descuidada. Assim, trato de me cuidar. Faço alguma pequena bobagem por mim mesma que me faz sentir bem... tal como comprar um cobertor elétrico, ajustá-lo na temperatura que considero confortável, e tê-lo pronto e à espera quando vou dormir. A simples sensação produzida pelo cobertor elétrico é carinhosa e tonificante. — Riu e disse: — Acho que é como estar de volta ao calor uterino.

A tia deu alguns passos em silêncio, antes de prosseguir:

— Ou podemos usar lençóis de flanela para obter a mesma sensação de cuidado e proteção. O importante é que não peço a ninguém que cuide de mim o tempo todo. Eu mesma faço o que posso. Cuido-me também criando um ambiente belo porque isso me afeta.

— A mim também — concordou o sobrinho.

— Lembro-me de que, certa vez, vi umas fotografias do Caribe, e o simples fato de olhar para elas me fez sentir maravilhosamente bem. De modo que usei as mesmas cores em nosso quarto de dormir. Utilizei o pêssego, o bege e o azul do pôr-do-sol, da areia e do céu em algumas almofadas e tapetes. Foi um mero lance decorativo, mas levantou nosso astral. Mas cuido de mim melhor ainda quando crio um bom ambiente *interno*. Na verdade, há outra coisa que finalmente aprendi com seu tio e que me ajudou a apreciar mais meu relacionamento com ele do que qualquer outra coisa. Continuamente, estamos dizendo o seguinte um ao outro:

✵

Ainda Mais Importante do que Ser Amado É Amar

✵

— Eu costumava pensar — continuou a tia — que ser amada era a coisa mais importante do mundo. Aquele, porém, foi um tempo em que me senti infeliz.

— Não entendo — respondeu o sobrinho. — Continuo a achar que ser amado é a coisa mais importante do mundo.

A tia inclinou-se um pouco para o sobrinho e perguntou:

— Diga-me uma coisa: você alguma vez se sentiu amado o suficiente? Por qualquer pessoa?

A fim de permitir que o sobrinho conservasse sua privacidade, a tia não insistiu na pergunta. Continuou:

— Querer ser amada, minha necessidade de ser amada, tinha uma grande desvantagem.

— Qual?

— Meu desejo ou necessidade de ser amada dependiam inteiramente de outra pessoa. Antes de saber melhor, renunciei a cuidar de mim mesma. Simplesmente pedia que alguém o fizesse. E a ironia de tudo era que eu não cuidava de mim mesma na esfera mais importante da minha vida: a do amor! Eu era como a maioria das pessoas. Queria ser amada e tinha certa idéia do que isso seria para mim. Em seguida, comparava essa idéia com a perfeição com que imaginava que a outra pessoa estivesse me amando. Acho que, inconscientemente, sempre dava uma nota a ela.

O sobrinho sorriu e comentou:

— É espantoso o número de vezes em que elas deixam de fazer isso.

— Elas? — perguntou a tia.

Cuidando do Nós / 93

O sobrinho ficou pensativo por um momento.

A tia continuou:

— Em todos os casos em que me focalizava na minha necessidade de ser amada, eu me sentia ignorada.

Nesse momento, o sobrinho teve uma introvisão instantânea.

Por que não pensara nisso antes?

Lentamente, enquanto a compreensão se aprofundava, ele disse:

— E quando sentia que não era amada começava a agir sem amor.

— Exatamente — confirmou a tia. — Sentia-me magoada porque achava que não era amada. De modo que ou me fechava ou ficava zangada.

— E como agia sem amor — observou o sobrinho —, tornava-se mais difícil que alguém a amasse.

Quanto mais pensava nas palavras da tia, mais ele começava a perceber outra maneira de encarar o amor.

— Talvez — disse — haja uma maneira melhor de eu cuidar de mim mesmo.

A tia riu com a despreocupação de uma pessoa feliz.

— Agora passo menos tempo tentando ser amada pelos outros — disse — e mais tempo amando-os. Aprendi tanto com seu tio sobre cuidar de mim mesma que agora posso ajudá-lo a cuidar-se melhor. E apreciamos mais a companhia um do outro.

— O que é que você faz para ajudar a cuidar do tio?

— Muitas coisas — respondeu ela. — Por exemplo, às vezes, quando ele está exigindo demais de si mesmo, lembro-lhe para se cuidar mais. Sei que me sinto melhor quando me aceito como sou — prosseguiu. — E estimulo seu tio a fazer o mesmo. Lembro-lhe que quanto mais nos aceitamos, mais apreciamos a nós mesmos e um ao outro.

— Como é que o tio reage a isso?

— Na maioria das vezes ele gosta, porque logo depois começa a tratar-se melhor. E passa a sentir-se melhor.

O sobrinho se sentia à vontade na presença da tia. Ela se sentia tão bem consigo mesma que o fazia sentir-se igualmente bem.

Mais uma vez, porém, ele encontrou um jeito de pôr em dúvida a idéia.

— Não me diga — começou — que não há ocasiões em que aquilo que você queria fazer por si mesma se choca com o que ele quer...

Ficou surpreso ao notar hostilidade em sua voz, e sentiu-se embaraçado por falar assim com a tia. Mas queria saber.

— Claro — concordou ela. — Mas isso é verdade em todos os casos. Como diz seu tio: "A verdade é que, no fim, as pessoas vão acabar fazendo o que querem, de qualquer maneira. Então, por que se enganar?" Se você cede e faz o que a outra pessoa quer, contra seus melhores interesses, mais cedo ou mais tarde vai ficar ressentido. Depois disso, é apenas questão de tempo antes de você, consciente ou inconscientemente, descobrir uma maneira de se vingar. Sei que parece horrível, mas é a pura verdade. Quando sepulta seus interesses próprios em favor de alguém mais... especialmente se não está consciente disso... eles infeccionam e as coisas costumam piorar. Assim, evitamos um problema futuro mais grave cuidando de nós mesmos hoje, o que é feito através da comunicação e negociação, a fim de que os dois obtenham o que ambos querem.

— Ao que parece — comentou o sobrinho —, a idéia toda consiste, em primeiro lugar, em sentir-se bem... mesmo que, no momento, isso não agrade inteiramente à outra pessoa. Em seguida, sentindo-se feliz e tranqüilo, o indivíduo passa a sentir-se bem-disposto em relação à outra pessoa.

— Correto — concordou a tia. — E o importante é que, quando você se sentir bem-disposto em relação à outra pessoa, deve *demonstrá-lo*. Essa demonstração estará de acordo com o melhor interesse dela. E é nisso que ela está interessada. Quando seu tio me estimula e me apóia para que eu cuide de mim mesma, demonstro a ele, de muitas maneiras, que aprecio o que faz.

O sobrinho perguntou-se se não era bom demais para ser verdade.

— Mas conflitos forçosamente ocorrem. O que é que você faz, nestes casos?

A tia concordou:

— Não estou querendo dizer que não haja conflitos. Haverá. Mas cuidando honestamente de nós mesmos, e *também* da outra pessoa, evitamos conflitos mais graves depois. Seu tio e eu teremos nossos conflitos. Nem sempre gostamos quando o outro está cuidando de si mesmo. Às vezes, quando nos sentimos meio inseguros, temos a impressão de que estamos sendo excluídos. Mas enquanto estamos nos sentindo inseguros, damos um mergulho dentro de nós mesmos e perguntamos: "Há uma maneira melhor, neste exato momento, de eu cuidar de mim?" Quando fazemos isso, costumamos descobrir que a outra pessoa está simplesmente fazendo o que precisa, e que voltará para nós sentindo-se bem... em relação a si mesma e a nós. Seu tio e eu somos felizes. Descobrimos uma maneira de cuidar maravilhosamente bem de nós mesmos. E realmente apreciamos que o outro nos ajude a fazê-lo. E que nos recompense quando o fazemos. Gostamos de quem somos quando estamos juntos.

— Isso me lembra Elizabeth Barrett Browning, a poetisa, que escreveu: "Amo-o. Não tanto pelo que você é, mas pelo que sou quando estou com você."

A tia bateu palmas e exclamou:

— O que mais posso dizer?!

QUASE dois meses haviam se passado desde a visita do sobrinho à tia. Ele, aliás, já começara a pôr em prática o que aprendera.

— É um prazer revê-lo — disse o tio no momento em que o sobrinho favorito tornava a entrar em sua casa. — Soube que um dia destes você deu um passeio e teve uma boa conversa com sua tia.

— Isso mesmo — confirmou o sobrinho. — Ela é certamente uma grande mulher!

— Concordo plenamente — respondeu o tio. — É uma mulher e tanto. Aprendeu alguma coisa com ela? Eu sempre aprendo.

— Aprendi que ela acha que vocês dois têm agora um grande relacionamento.

— Isso é verdade. Mas ela lhe disse que nem sempre foi assim?

— Disse, de fato. E o que ela disse me animou a corrigir o que estava fazendo de errado com minha mulher e meus filhos. Agora sou obrigado a reconhecer que todos nós estamos nos dando melhor. Mas não estou muito convencido no tocante ao princípio envolvido. Por que o fato de cada um de nós se cuidar melhor ajuda nosso relacionamento? Sempre pensei que isso era meio egoísta e que causaria problemas.

— Vou explicar — disse o tio — com um exemplo tirado de sua própria vida. Você disse que, desde que falou com sua tia, começou a mudar o seu procedimento em relação à sua família. Pode me dizer como foi que mudou?

— Posso — respondeu o sobrinho. — Na noite passada cheguei em casa cansado, tive um dia de cão no escritório. — Ambos riram com aquele clichê. — Depois, uma bobagem quase arruinou a noite.

— O que foi que aconteceu? — perguntou o tio.

— Eu queria ser recebido em casa de uma maneira que me deixasse certo de ser apreciado.

— Mas não foi — comentou o tio.

— Bem — continuou o sobrinho —, claro que não me *senti* apreciado. Minha mulher mal me cumprimentou. Afastei-me sozinho. E me sentindo mal. Devia estar muito cansado para ter reagido daquela maneira, mas, lembrando-me da cena, acho que simplesmente senti pena de mim mesmo. Mas então — continuou o sobrinho com um sorriso — perguntei a mim mesmo: "Há alguma melhor maneira de eu reagir?" Lembrei-me de que minha mulher não dissera com muito entusiasmo, mas dissera "Oi, querido", e não "Oi, palhaço".

O tio riu.

— Você ouviu o "querido".

— Ouvi. E isso fez com que me sentisse melhor. E a noite em casa acabou sendo agradável.

— O que foi que você fez?

— Lembrei-me que titia dissera: "Ainda mais importante do que ser amado é *amar*." Simplesmente resolvi cuidar melhor de mim mesmo *amando-a*, em vez de pedir a ela que me amasse. Achei que faria com que me sentisse melhor. E fez. Voltei, abracei-a e disse que estava contente por me encontrar em casa. E que a amava. Ela gostou disso! Depois, disse que sentia muito, que estava muito cansada...

— Por causa de um dia de cão — lembrou o tio com um sorriso.

— Acertou — confirmou o sobrinho. — Ela, provavelmente, não estivera cuidando bem de si mesma naquele dia. Ainda me sinto espantado com a perfeição com que isso funciona e com a diferença que faz para a nossa felicidade.

— O importante em um bom relacionamento é o equilíbrio — observou o tio. — E você acaba de dar um exemplo. O que significa que não insistimos para que outra pessoa pense em nós o tempo todo. Você o demonstrou ao pôr de lado não só suas expectativas sobre a maneira como achava que devia ser recebido... mas também o seu ego. E assim se desvencilhou da mágoa. — Após uma pausa, o tio continuou: — Tenho certeza de que compreende com que facilidade esse incidente da noite passada poderia ter-se transformado numa explosão. É o que acontece quando uma pessoa... ou pior ainda, duas... não cuida bem de si mesma.

— Da maneira como vejo a coisa — observou o sobrinho —, o método funciona melhor quando ambas estão cuidando bem de si mesmas e ajudando a outra a fazer o mesmo.

— Maravilhoso! — exclamou o tio. — Você está começando a compreender uma das maneiras importantes de manter um bom relacionamento com outra pessoa.

— O importante para mim — disse o sobrinho — é, em primeiro lugar, ter um bom relacionamento comigo mesmo.

— Isso mesmo — concordou o tio. — Lembro-me da época em que não conhecia essa verdade. Foi um tempo ruim em minha vida. Achava que ninguém gostava de mim. Nem mesmo eu. Ninguém sabia disso, claro, porque eu escondia meus sentimentos. Lembro-me bem. Fiz uma coisa que nunca havia feito antes e espero nunca mais voltar a fazer.

— O quê? — perguntou o sobrinho.

— Por motivos que eu não compreendia — explicou o tio —, vim a acreditar que não era capaz de amar nem de ser amado. Costumava ficar na cama durante dias, afirmando a mim mesmo que estava simplesmente cansado. Mas quando recordo aqueles dias, compreendo que eu estava era deprimido. Para mim não era nada bom sentir-me na fossa. Sempre me julgara um otimista.

O sobrinho sorriu e perguntou:

— O senhor quer dizer que estar com um astral baixo não figurava na sua lista de coisas a fazer?

— Não, nunca.

— Mas por que se sentia deprimido?

— Aí é que está o curioso. Não havia razão para eu estar deprimido. Os negócios iam bem. Tinha uma bela casa e uma boa família. Não estava doente. Não tinha problema algum. Pelo menos, não que pudesse identificar. Aos poucos, com o passar dos anos, precisei com mais freqüência desse tempo na cama... para descansar, compreenda. Na verdade, para fugir.

— De quê? — espantou-se o sobrinho.

Uma luz surgiu nos olhos do velho.

— De mim mesmo. Não era do amor de outras pessoas que eu necessitava. Por mais amor que me demonstrassem, nunca era suficiente. Eu nunca me satisfazia.

— Do que o senhor precisava?

— Antes que pudesse ser amado por outras pessoas — respondeu o tio —, eu precisava ser amado por mim mesmo.

— E de que modo aprendeu a se amar? — perguntou o sobrinho.

— Fiz um esforço — continuou o tio —, mas não consegui. De modo que aprendi apenas a gostar de mim. Tinha que começar dando pequenos passos.

— Tal como saltar da cama? — brincou o sobrinho.

O tio sorriu e respondeu:

— Isso mesmo, tal como saltar da cama. Lembro-me de um dia em que estava deitado, cansado, sabendo bem demais que descansara mais do que a Bela Adormecida. Mas, então, me perguntei: "Há alguma maneira melhor de agir, neste exato momento?"

— Foi aí que se originou esse método simples?

— Exatamente. Quando as coisas ficaram tão ruins, ocorreu-me que até meu "velho eu" tinha compreendido que perdera o caminho. De modo que agora paro e faço a mim mesmo essa pergunta com grande freqüência, para nunca mais tornar a me perder.

— E o que foi que fez em seguida?

— Os antigos chineses — respondeu o tio — diziam que não se pode pôr chá fresco quente dentro de uma xícara cheia de chá velho e frio. Só quando deixamos de fazer o que *não* funciona é que as coisas podem melhorar. Assim, deixei de fazer o que não funcionava. Saí da cama. Mais tarde, quando senti a tentação de "repousar", perguntava-me se não havia maneira melhor.

— Evidentemente, o senhor a encontrou — comentou o sobrinho. — O que foi que fez por si mesmo?

— Lembra-se do que falamos quando você veio aqui pela primeira vez? Bem, sobrinho, foi o que fiz. Comecei a cuidar melhor de mim mesmo. Sabia que precisava fazê-lo, ou teria problemas ainda maiores. Comecei a fazer por mim aquelas coisas de que falamos quando esteve aqui da primeira vez. Quando, regularmente, fiz algo tão simples como observar Um Minuto para Mim, uma vez atrás da outra, comecei a tomar decisões muito diferentes. Cuidando tão bem de mim quanto cuidava de outras partes da minha vida, as coisas começaram a melhorar. Em seguida, melhoraram entre mim e sua tia.

O sobrinho, porém, ainda achava difícil acreditar.

Percebendo sua dúvida, o tio aconselhou:

— Imagine como se sentiria se pedisse a alguém a quem ama que o abraçasse. Mentalmente, sinta esse alguém abraçando-o. Agora, me diga como se sente.

— Bem — respondeu o sobrinho. — É agradável.

— Claro — concordou o tio. — É bom ser abraçado de vez em quando. Agora, imagine a pessoa se recusando a abraçá-lo.

O sobrinho pareceu surpreso. Imaginou como se sentiria.

— Rejeitado — disse —, magoado. — E depois acrescentou: — Zangado. — Calou-se por um instante e em seguida disse, baixinho: — Às vezes, sinto-me assim em casa.

— Mas claro. Quem você quer, realmente, que o abrace?

O sobrinho ficou silencioso, antes de responder tranqüilamente:

— Eu mesmo.

— Naturalmente — confirmou o tio. — Esse é o motivo por que nos sentimos muito melhores quando paramos, tornamo-nos calmos e ficamos escutando nosso Melhor Eu... aquela parte de nós que sabe do que necessitamos. Entrar em contato com nosso Melhor Eu é como dar em nós mesmos um abraço perfeito.

Em seguida, o tio perguntou:

— Se você não se abraçou o suficiente, pode alguém abraçá-lo com freqüência bastante, com carinho bastante, ou...?

O sobrinho começou a entender o sentido das palavras do tio:

— Não podemos nunca, mas nunca mesmo, conseguir o suficiente daquilo que não necessitamos. Se não cuido de mim mesmo, não consigo que minhas necessidades básicas sejam atendidas. Então, peço aos outros que façam por mim o que só eu posso fazer. E eles nunca fazem o suficiente. E como os outros não podem satisfazer minhas necessidades — concluiu o sobrinho —, tenho problemas em meus relacionamentos com eles.

— Você está aprendendo bem — cumprimentou-o o tio. — E se espanta porque um método como esse não funciona?

— De modo que não posso ter um relacionamento bom com pessoa alguma, a menos que o tenha também comigo mesmo — disse o sobrinho.

— Você não pode dizer isso de forma mais positiva?

O sobrinho sorriu.

— O relacionamento mais importante que jamais terei é o que mantenho agora comigo mesmo.

— Ótimo. Agora, o que é que você pensa que se aplica ao relacionamento entre duas pessoas?

— Pensando bem — retrucou o sobrinho —, não posso ter um bom relacionamento com pessoa alguma a menos que o tenha comigo mesmo e que ela o tenha também consigo mesma.

— Como poderia apresentar essa idéia de modo a que você e seus entes queridos aprendessem a lição?

O sobrinho pensou por um momento, dizendo em seguida:

*Podemos Ter um Relacionamento
Maravilhoso Juntos
Quando Eu o Tiver Comigo e
Você o Tiver Consigo*

*

— Agora você entendeu! — O tio porém acrescentou uma palavra de cautela: — Mas vai assumir um compromisso consigo mesmo e com sua família. Lembro-me de quando sua tia me pediu que eu assumisse um compromisso com *minha* família. Estávamos tendo muitos problemas. E eu não tinha certeza de querer assumi-lo. Ela pediu um compromisso não só de fidelidade no casamento, mas algo muito mais importante.

— O quê?

— Pediu-me que não fugisse... não a deixasse ou lhe pedisse que fosse embora por causa de qualquer incidente... por mais assustador ou perturbador que fosse. Em suma, pediu-me que assumisse o compromisso de não fugir de *mim mesmo*. Se eu concordasse, disse-me, ela também não fugiria de si mesma. Ou, se fugisse... mesmo que apenas em pensamento... voltaria tão logo possível para junto de si mesma e de nós.

— Desse modo, o compromisso foi, realmente, de que cada um prometia cuidar bem de *si mesmo* — compreendeu o sobrinho. — E uma boa maneira de fazê-lo era não fugir de si mesmo.

Sorrindo, o tio observou:

— Acho que sua mulher vai ficar feliz quando você voltar para casa hoje à noite.

— Gostei de suas visitas nestes últimos meses — disse o tio. — Conversando com você, percebo como minha vida mudou em comparação com os tempos em que me sentia tão infeliz. É estranho lembrar que houve época em que minha vida não era como agora.

O tio parecia um homem feliz e contente consigo mesmo.

O sobrinho sentiu-se estimulado. Sabia que, um dia, sua vida poderia ser tão boa quanto a do tio.

Na verdade, já começara a melhorar. Precisava apenas pôr de lado suas dúvidas pelo tempo suficiente de *fazer* o que, estava descobrindo, realmente funcionava para si e para sua família.

— Se quiser, volte dentro de algum tempo — sugeriu o tio. — Gostarei de saber se as coisas continuaram a melhorar em sua família quando todos começarem a ajuda mútua para se cuidarem melhor. Se assim for, haverá algo mais importante que você, sua família e seus vizinhos talvez queiram aprender.

Quando o tio saiu da sala, o sobrinho tomou algumas notas resumidas dos pontos que considerava importantes.

Dirigiu-se em seguida ao quintal, para se despedir dos tios.

Cuidando do Nós: Resumo

Tenho condições de manter um melhor relacionamento com outras pessoas quando me lembro do seguinte:

- Quando cuidamos bem de nós mesmos, podemos mostrar reciprocamente o nosso Melhor Eu.
- Se esperarmos que um relacionamento satisfaça nossas necessidades básicas, experimentamos também a dor do desapontamento.
- Quando cuidamos bem de nós, podemos em seguida cuidar melhor dos outros. Podemos ser mais carinhosos e afáveis reciprocamente.
- Mas importante do que ser amado é ser capaz de amar.
- Quando cada um de nós cuida melhor de si mesmo, podemos enfrentar alguns pequenos conflitos hoje, mas evitaremos conflitos muito maiores e mais sérios amanhã.
- Nosso compromisso é não fugir de nós mesmos, cuidar de nós mesmos e cuidar um do outro.
- Podemos ter um relacionamento maravilhoso juntos quando eu o tenho comigo mesmo e você consigo mesmo.

PARTE IV

O Mundo Se Beneficia

O TIO dissera ao sobrinho que, se quisesse aprender algo muito importante, devia voltar a procurá-lo. E voltara. A jornada lhe fora longa e penosa nos últimos três meses, mas aprendera muito.

Ao entrar no gabinete do tio, notou as paredes revestidas de livros e um globo num canto.

Lembrou-se de que, na primeira conversa, o tio fizera girar o globo, dizendo que as outras pessoas — as pessoas que se beneficiavam tanto quanto nós quando cuidamos bem de nós mesmos — poderiam ser tanto membros de sua família como estranhos que residiam no outro lado do globo.

— Estou começando a perceber que cuidar de mim mesmo pode contribuir para a paz — disse.

O tio sorriu e perguntou:

— Como descobriu?

— Aprendendo que quando cuido bem de mim mesmo não fico zangado. Torno-me pacífico. Compreendo agora que paz é tanto ausência de ira como presença de amor — especialmente comigo mesmo. Minha mulher e meus filhos observaram grande aumento de serenidade em mim. Quando notaram o efeito que cuidar bem de mim produzira no meu caso, pediram-me que os ajudasse a se cuidarem melhor. Agora achamos nossa companhia recíproca muito mais agradável. Nossa família é mais feliz — concluiu.

— Você de fato *parece* mais feliz — observou o tio.
— Agora talvez possa compreender o seguinte:

*

Quando Todas as Pessoas no Mundo Cuidarem Melhor de Si Mesmas, Todas Se Sentirão Mais Bem Cuidadas, e Poderemos Finalmente Começar a Cuidar Mais um do Outro

*

— Esse conceito não é apenas idealista — observou o tio. — É prático... como foi para você e sua família.

O sobrinho, porém, ainda tinha dúvidas:

— O que uma pessoa que vive na pobreza e sofre injustiças pode fazer num único minuto?

— Como não sou esta pessoa, não posso saber — respondeu o tio. — Mas se realmente parar, olhar e ouvir a melhor parte de si mesma, ela descobrirá.

Sabendo que o sobrinho possuía a resposta dentro de si mesmo, o tio perguntou:

— Quando é mais importante cuidar de nós mesmos... quando as coisas estão correndo bem ou correndo mal?

— Quando elas vão mal — respondeu o sobrinho. — Talvez não haja pessoa alguma que nos ajude, e assim temos que nos virar.

O tio inclinou a cabeça, concordando, e voltou a perguntar:

— Em geral, o que o torna mais feliz... fazer para si mesmo as grandes ou as pequenas coisas?

O sobrinho respondeu:

— Para minha constante surpresa, são as pequenas... tal como mudar de atitude.

— Concordo — disse o tio. — Talvez seja quase impossível mudar as terríveis condições externas. Mas todos podemos mudá-las dentro de nós mesmos. Por que as pessoas que se cuidassem melhor, fazendo pequenas coisas por si mesmas... qualquer que seja a sua situação...

não seriam menos iradas e mais pacíficas? Não seria mais provável que a pessoa menos zangada cuidasse melhor dos outros? Por que, então, o mundo não seria um lugar melhor se nós... em especial os que estamos em dificuldade... nos cuidássemos mais?

O sobrinho refletiu nas palavras do tio.

— Você está dizendo que isso não vai solucionar todos os problemas do mundo — compreendeu —, mas que se todas as pessoas cuidassem *melhor* de si mesmas, como quer que fosse, o mundo seria um lugar melhor. As pessoas seriam *menos* zangadas.

— De fato — confirmou o tio. — Isto não é absoluto, mas nós todos nos sentimos mais bem servidos quando cada um de nós cuida melhor de si mesmo. Quando fazemos isso, queremos cooperar. Cooperar significa "co-operar". Eu opero o eu em você e você opera o eu em você. Isso é o máximo em liberdade e responsabilidade. Quando pessoas assumem a responsabilidade de cuidarem melhor de si mesmas, elas não se tornam tão dependentes de organizações que não mereçam confiança. Mas — advertiu o tio — precisamos equilibrar a ajuda a pessoas que temporariamente necessitam de nosso apoio com um tipo de ajuda que as permita descobrir como cuidar melhor de si mesmas. Um grupo de pessoas, na verdade, pensa em construir na Costa Oeste uma estátua para contrabalançar com a Estátua da Liberdade. A Estátua da Responsabilidade será dedicada à habilidade de todos nós de responder ao que temos de melhor, a fim de assegurar nossa liberdade pessoal.

O rosto do jovem iluminou-se e ele respondeu:

— Sempre pensei em responsabilidade como algo que eu não queria realmente assumir, mas que devia aceitar. Agora compreendo que ela é realmente uma habilidade a que tenho de responder, de reagir, ao meu mundo. Gosto disso. Agora compreendo também o óbvio. — Lentamente, disse: — A paz começa comigo.

Sozinho em casa, muitos meses depois, o sobrinho refletiu em tudo o que aprendera a fazer.

Embora pensasse que seria maravilhoso se todo mundo melhorasse, aceitara o desafio imediato de melhorar seu *próprio* mundo.

Em vez de tentar mudar o mundo e as pessoas em torno, ele mudara a si mesmo. E sentia-se mais feliz.

Aprendera a equilibrar a vida.

No princípio, preocupara-se pensando que cuidar de si mesmo era egocentrismo. Compreendia nesse instante que *não* cuidar de si mesmo é que era egoísmo, pois isso ocasionava numerosos problemas a si mesmo e a outras pessoas.

Descobrira a tranqüilidade de cuidar do Eu, do Você, e do Nós com igual atenção.

A tudo isso acrescentara sua própria visão.

Viera a considerar a vida mais atrativa não apenas porque aprendera a receber cuidados, mas também porque aprendera a *dá-los*.

Quanto mais dava a si mesmo e mais aceitava, mais dava aos outros. Aprendeu a cuidar de si mesmo com tanta freqüência e tão bem quanto fazia com os demais.

Haviam-lhe ensinado que dar era melhor do que receber, e por isso sempre tivera problemas em receber.

Talvez tivesse se sentido mais à vontade dando porque não estava no controle quando recebia.

Naquele momento, porém, equilibrava o dar com o receber.

Percebia que se ninguém recebe ninguém pode dar.

E aprendeu a *dar* a si mesmo e a *receber* de si mesmo. Sentia paz interior.

Descobrira a sabedoria que os outros haviam conhecido ao longo das idades: *A resposta está em mim*.

Gostava do conceito do *Melhor Eu*, elaborado pelo tio. E sempre o empregaria para encontrar a sua felicidade.

Ele, contudo, lhe dera outro nome. Gostava de pensar naquela parte tranqüila, sábia, de si mesmo como "O Intuitivo". Sabia que quando escutava a parte intuitiva de si mesmo, tomava decisões melhores. E pensava: "Eu", como todas as outras pessoas, posso ouvir as respostas quando ouço aquela parte intuitiva que há em mim — o meu "melhor" eu.

Compreendia bem que isso nada tinha a ver com o ego. E pensava: "Quando perco o meu ego, ganho o meu eu."

Sabia que só quando abandonava o ser egoístico, controlador, é que finalmente estabelecia contato com um poder maior. Talvez fosse o mesmo poder que muitas pessoas chamam de "Deus" — o Deus que estava nele — a parte dele mais sábia do que ele geralmente era.

Qualquer que fosse o nome que lhe dessem, sabia que encontrara uma fonte segura de poder tranqüilo.

O Um Minuto que freqüentemente se concedia para parar, olhar e escutar silenciosamente o levava à sua melhor parte. E sabia que continuaria a descobrir mais coisas.

Aquilo era apenas o começo.

Nesse momento, ouviu o som de um carro subindo a rampa da garagem. A família chegava. Sentiu-se feliz. Gostava de estar com a mulher e os filhos.

Sabia que concedera à família uma grande dádiva. Era a dádiva de seu Melhor Eu. A família estava mais feliz com ele e consigo mesma.

E também, portanto, as pessoas com quem trabalhava.

Melhorara seus relacionamentos tanto em casa quanto nos negócios.

Indo receber a família, lembrou-se das pessoas que haviam compartilhado de seus segredos: a colega de trabalho do tio; o marido dela, o pintor; a tia e, claro, o tio.

Cada um deles lhe dera o que de melhor havia em si mesmos.

Haviam-lhe ensinado a equilibrar a vida *dando* e *recebendo* de si mesmo e dos outros.

Estava feliz porque tomara tantas notas ao longo do caminho. Poderia dividir com outros aquele material.

Não era tanto que houvesse aprendido algo novo. Na verdade, a maior parte do que descobrira era uma confirmação de algo que, de alguma maneira, sempre soubera.

O novo era o fato de ter descoberto uma maneira, num

mundo agitado, de *usar* o que sabia, que funcionava tão bem em seu caso. Era simples, mas funcionava!

Descobrira o segredo do equilíbrio.

Como maneira de agradar àqueles que o haviam ajudado, e como maneira de cuidar-se, prometeu a si mesmo:

*Compartilharei a Dádiva
do Meu Melhor Eu
Comigo Mesmo
e com os Demais*

*

Agradecimentos

Ao longo dos anos aprendi com inúmeras pessoas que cuidar melhor de mim mesmo me ajuda *e* ajuda os outros. Por isso mesmo, gostaria de agradecer publicamente a algumas dessas pessoas:

Herbert Benson, M.D., que me ensinou a reduzir o estresse através do relaxamento.

Kenneth Blanchard, Ph.D., meu bom amigo, com quem dividi a autoria de *O Gerente-Minuto*, que está me ensinando — através de exemplo — como conservar o senso de humor e manter um bom comportamento.

Harold Bloomfield, M.D., que me ensinou como me tornar meu melhor conselheiro.

Norman Cousins, que me ensinou a rir e a mudar minha perspectiva pessoal.

Sharon Huffman, que me ensinou a criar beleza e a necessidade de um Plano Diretor.

Gerald Jampolski, M.D., que está me ensinando a achar o amor desvencilhando-me do medo.

William Morrow and Company, incluindo Larry Hughes, Al Marchioni, Sherry Arden, Tom Consolino, Cheryl Asherman, John Ball, Liney Li, Jennifer Williams, Lela Rolontz, Barbara Stevenson, Joan Amico e, especialmente, Pat Golbitz, pela fé e confiança que depositaram no que faço.

Gerald Nelson, M.D., criador do conceito de *A Repreensão-Minuto*, pelo que me ensinou sobre disciplina e a diferença entre comportamento e valor pessoal.

Carl Rogers, Ph.D., que me ensinou a manter a paz comigo mesmo e com os demais.

Barbara Curl, James Durbin, Constance Johnson, Madeline Johnson, Ron Zollars, e minha agente literária, Margaret McBride, pelo inestimável estímulo e apoio pessoal.

E, especialmente, a meus dois filhos, Cameron e Emerson, pelo que continuam a me ensinar sobre afeição.

Este livro foi composto na tipografia
Life BT em corpo 12/15,5 e impresso em
papel off-set no Sistema Digital Instant Duplex da
Divisão Gráfica da Distribuidora Record.